Apple Vision Proが拓くミライの視界

スマホがなくなる日

渡邊信彦 株式会社STYLY 取締役COO

幻冬舎

Apple Vision Proが拓く
ミライの視界

スマホがなくなる日

まえがき

この本を手に取っていただきありがとうございます。本書はみなさんがこれから体験するであろう、とってもワクワクする未来の話について、なるべくわかりやすく書いたつもりです。業界の話って専門用語や略語が多くて、「わかんねえやつはくるな」的なアングラな雰囲気がしたりしますよね？　でもそのままだと普及しないんです。ですから、この本はみんなに気軽に知って欲しいと思って筆を執りました。説明しなくてはならない技術の話があるので、どうしても専門的なことは避けられない部分はありますが、なるべく平易に書いたつもりです。

読み終わった後に、

「未来はコンピュータに囚われるディストピアではなく、やりたいことがもっとできる自由な世界なんだ！」

と、気づいていただけたらとても嬉しく思います。

私が新卒入社したてのころインターネットが生まれ、その後10年で携帯電話はガラケーからスマホに変わり、大きな変革が起きました。でもその流れの中にいるとなかなか変化に対応できないんですよね。

当時は、もしかするとスマホが大きく世界を変えるかもしれないと、確信めいたものがあったのに、一歩先に踏み出すことができませんでした。「このポケットに入る小さなコンピュータは、きっと『コミュニケーションの要』になる」。そう思ってカード型メッセンジャーアプリのプロトタイプを作ったのはLINEがサービスを開始する前でしたし、「今後金融は多くのサービスが店舗からスマホに代替される」と考えて、スマホ銀行をメガバンクと計画したのもかなり早い時期でした。しかし、いずれも本格的に舵を切ることができませんでした。結局海外勢の怒濤の躍進を指をくわえて見てしまったのは私自身です。モノづくり大国・日本といわれ世界をあっと言わせた過去の成功体験から逃れられず、「大丈夫、まだこの状態は続く」と思い込むことで自分を納得させていた気がします。

スマホの次のマーケット、正直言って今の日本はかなり不利な立ち位置だと思っています。スマートフォンのマーケットからほぼ撤退してしまったのでスマホの技術の延長である次世代のハードウェアに参入しづらくなっています。また私はXRスタートアップの経営をしておりますが、資金調達の規模や決定のスピードに海外と比べて圧倒的な差が出ています。ですからベンチャーが大きな仕掛けをするには海外の投資を得る必要があります。海外のハードウェアを用いて海外の投資資金で日本の文化を動かすことになりますね。
ですが、まだ勝ち筋は残っていると思っています。なぜなら私たち日本人にしかできないことがまだあると確信しているからです。この本を読んだ後、必ずくる大きな変革にワクワクとやる気が湧いてきたら嬉しいです。

日本再興の最大のチャンス！　一緒にチャレンジしませんか？

Apple Vision Proが拓く
ミライの視界

スマホがなくなる日

目次

第2章　世界の常識が変わるApple Vision Proの可能性

第5章 空間コンピューティング時代に向けた取り組み

終章

2050年、日本が再び世界をリードする

写真　廣瀬順二
ブックデザイン　トサカデザイン（戸倉巌、小酒保子）
アートワーク（目）　金田遼平（YES）
構成　設楽幸生
編集協力　森逸崎海（STYLY）
編集　田中美紗貴（幻冬舎）、荒谷優樹

プロローグ

――――

2030年のある一日

2030年4月1日 月曜日——

寝室のベッドで目を覚ます。いつものように、枕元に置いてあるデバイスを身につける。そのデバイスの見た目はまるで眼鏡そのもので、レンズ越しに見える景色も裸眼で見る景色と基本変わらない。しかし、ただの眼鏡ではない。そのデバイスを装着すると、空間に時計と今日やるべきことが表示されたディスプレイが浮かび上がる。

・午後のプレゼン資料の仕上げ
・部下との面談のためのカルテづくり
・今夜のBBQの食材の買い出し、ワイン多めに　リストは↓こちら
・20時、母に電話：息子の入学祝いの相談

いつものように寝室から洗面所へと移動し、鏡の前に立つ。指にはめているスマートリングが酸素飽和度の状態などを計測していて、昨晩の睡眠状態の結果が、連携している眼鏡形のデバイス越しに表示される。

「今日の顔色は先週と比較して良好です。生活環境が改善されているようですね。スマートリングからのデータによると、眠りの質も上がっているようです。この睡眠のペースを維持しましょう」

どうやら新しいAIの運動カリキュラムが、良い効果を出し始めているようで気持ちが良い朝だ。

朝食を摂るために台所に行くと、ガス台の横にはレンズ越しに宙に浮かんだレシピが見え、「今日の朝食：パワー朝食レシピ」と表示されている。今日のプレゼンに備えて、最近不足がちの鉄分豊富なパワーサラダをおすすめしてくれているようだ。冷蔵庫の食材も管理してもらっているから、あとはレシピに従って作るだけだ。

ダイニングで朝食を摂りながら、テレビで経済に関するニュースを観る。今日の会議で使えそうな話題なので「クリップ」とつぶやくと、グラスを通じてAIが自動で内容を要約し、クラウド上に保存してくれる。準備万端だ！

「おっと、鍵はどこに置いたかな?」。昨日帰宅した時もグラスはかけていたから、記録されているはず。聞いてみよう。「鍵はどこにある?」

すると洗面所にマーカーが出現し、置き忘れた場所を教えてくれる。なんとも便利になったものだ。

午後から大切なプレゼンがあるから気分を上げていきたいのに、家を出るとあいにくの曇り空。駅に向かうまでの道のりは、気分を上げるために目の前の空をタップして雲一つない青空に変えて、少しテンションの上がる曲を流しながら歩く。見ている世界はちょっとだけカスタマイズできるようになっていて、空を少し明るくして大好きな音楽を合わせれば、気分良く出勤できる。

駅の改札は、スマホを取り出したり、スマートウォッチをかざしたりすることなくそのまま通過。電車の中では心を落ち着かせたいので、スマートグラスで車内広告や目の前に見える乗客を「消すモード」にして、電車の窓越しの風景を大好きな屋久島の原生林に変えてエナジーチャージしよう。

オフィスに着いて席に座ると、目の前の空間ディスプレイに、昨日までやっていた仕事、今日やらなくてはいけないタスク、自宅でメモしたToDoリスト、通勤途中にブツブツとつぶやいていたアイデアをＡＩが要約してくれたテキストが立ち上がっている。

優先順位を指示すると、優先度の低いものは空間ディスプレイがちょっと視線の外れたところへウインドウを遠ざけてくれる。

朝9時からの定例ミーティングも、いつものようにスマートグラス越しに行われる。今日は東京と札幌、ニューヨーク、シンガポールで勤務するチームのメンバーとの軽い打ち合わせだ。

空間に浮かび上がるホログラムのメンバーは、まるで本当の会議室に集まっているかのようだ。5年前にビデオ会議アプリでミーティングしていた時代をふと懐かしく感じる。パソコンの画面に張り付いて会議していたあの頃と、全く空気感が違う。ここに一緒にいる感覚。これは本当に重要だった。やってみたらもう戻れなくなった。

「おっと、今日は同じ時間に会議が3つ入っているんだった」。他の2つの会議はAIに参加してもらい、会議の内容のリアルタイム要約を任せて随時インプットする。意見が必要な時はAIに呼んでもらい、顔を出せば大丈夫。

空間コンピューティングがもたらしたのは、「ゆっくり働こうという改革」なんてことではなく、実は「働く効率が数倍上がる改革」だったのではないだろうか。結果5年前の半分の時間で、倍の量の仕事をしている。

なにより嬉しいのは、実はこれらのテクノロジーは、スマホ時代と違って日本企業が根幹を担っていること。日本企業の活躍がますます楽しみだ。

「あっ、推しの世界ツアーが始まる！　スマートグラスで会場にダイブ！」

序章

日本再興のチャンスが今、訪れる

革命的デバイスの誕生

２０２４年２月、アメリカで新しいデバイスが発売され話題を呼びました。それはiPhoneやMacBook、Apple Watchなどを生み出してきたAppleによるApple Vision Pro（以下ＡＶＰ）と呼ばれる製品です。

これは頭に装着するゴーグル型のヘッドセットデバイスで、一見すると今まで色々な会社から数多く出されてきた、いわゆる「ＶＲゴーグル」のように見えます。ですからこのＡＶＰの外観を見ただけだと、

「どうせバーチャル空間でゲームを楽しむためのデバイスを、Appleがちょっとスタイリッシュなデザインで作っただけでしょう」と思う方も多いかもしれません。

しかし、それは大きな間違いです。

Appleが過去にiMacを、iPodを、そしてiPhoneを発売して世界が大きく変わったのと同じように、このＡＶＰの登場によって私たちの暮らしや生活、趣味や娯楽、仕事が大きく変わる時代が確実に到来します。プロローグで描いたような生活が現実になる未来も、そう遠くはないはずです。

おそらく本書を読んでいる方の多くは、VR（Virtual Reality、仮想現実）やメタバースの世界を少し知っているという方だと思いますが、AVPがスマホの次のデバイスになるとは信じられないかもしれません。もちろんこの世界に全然関心がない方も本書を手に取られているでしょうし、「そんな世界が本当にやってくるの?」と懐疑的な目で見られている方もいると思います。それならなおさら、そんな未来は信じられませんよね（メタバース、AR、VR、MRなど……。色々な用語がこの界隈にはあるのですが、後ほど詳しく解説します）。

2007年6月にiPhoneがアメリカで誕生する前、この「電話という概念を超えた、手のひら一つで扱える小型コンピュータ」が世界をここまで席巻（せっけん）するなんて大多数の人間は考えもしていませんでした。

ですが気づけば多くの人にとって、スマートフォンは生活になくてはならないものになりました。

この現象と同じように、近い将来、テクノロジーの進化と共にAVPのようなデバイスを日常でごく当たり前に身につけ、生活する時代が確実に到来します。もちろん今はまだ仕様的な面で課題があり、日常生活でずっと使える利便性と快適性を兼ね備えているとは言い難いですが、近い将来、眼鏡をかけるようにこのようなデバイスを装着して生活するのが当たり前の時代がやってきます。

そしてAppleはこのAVPの発表に際し、従来「VRゴーグル」や「VR用ヘッドセット」などと言われていたこの種のデバイスの名称を一切使わずに**「空間コンピュータ(Spatial Computer)」**という名称を使い、プロモーションしています。

実は、空間コンピュータ（空間コンピューティング）という言葉は、AVPが発売される前から業界では使われていた言葉なのですが、**今回、Appleはあえて「AR」や「VR」という言葉は使わず、「目の前に広がるあらゆる空間全てがコンピュータやインターネットの入口となり、出口となるインターフェースであり、デジタルなコンテンツと現実世界をシームレスに繋ぐことができる」という意味で「空間コンピューティング」という名前を使っています**（空間コンピューティングの詳しい話は後述します）。

そして、**空間コンピューティングが普及した時代に必要不可欠になってくるのが、「良質なコンテンツを生み出すことができる力」であり、これが日本再興に向けたキーワードなのです。**

かつて「奇跡の国」と呼ばれていた日本

本書で「日本再興」と表現したのも、多くの方がご存知の通り、過去に日本には信じられないような復興劇があったからです。

１９４５年、第二次世界大戦に敗れた日本は、アメリカを中心とする連合国で組織されたＧＨＱ（連合国最高司令官総司令部）の監視下に置かれることとなりました。広島・長崎に原子爆弾が投下され、他の日本中の都市も空爆等で焦土と化していた中、ＧＨＱの占領政策を基盤とする日本の民主化の諸改革が行われました。

ＧＨＱ傘下の日本は、少しずつ戦後復興が進んでいましたが、大きく復興が進んだ要因の一つが皮肉にも隣の国で勃発した戦争でした。１９５０年6月に朝鮮戦争が始まると、アメリカ軍から日本国内にある様々な企業に発注が急増し、輸出が大幅に伸びた「特需景気」に沸きました。その特需がきっかけの一つとなり、日本経済は１９５１年に戦前水準を越え、１９５５年から１９７０年代前半までの高度経済成長期へと向かいました。

この成長はオイルショックが起きる１９７３年まで約20年間続いたのですが、その経済成長率は年平均10％を超え、１９６０年に当時の池田勇人首相による「10年間で日本人の所得を倍にする」という所得倍増計画を背景として、流通の革命や技術革新が進みました。

具体的には、エネルギー革命と呼ばれる石炭から石油への転換や、家電を中心とした技術革新、スーパーマーケットの登場による流通革命、合成繊維、プラスチックそして車を中心としたモータリゼーションなど、様々な領域において変革が起こりました。

この急激な成長は、過去に世界のどこを見渡しても例のないことだったので「奇跡の国・日本」などと称され、この高度経済成長期には、神武景気（54〜57年）、岩戸景気（58〜61年）、オリンピック景気（62〜64年）、いざなぎ景気（65〜70年）という4つの好景気の時期がありました。短い期間に4回もの好景気が巡ってくるなど、今ではとても考えられないことです。

そして、1985年、プラザ合意によって急激な円高ドル安となった為替市場を発端として、いわゆる「バブル景気」に突入します。円高ドル安により輸出が停滞する円高不況が起きたことにより、日銀が公定歩合を引き下げて景気の上昇を試みるも、金利が下がったことにより資金調達が容易になり、大量のマネーが不動産に集まりました。

投機目的の不動産投資や株式投資によって、急激な価格上昇が起き、日本経済に大きな利益をもたらしました。三菱地所がニューヨークのロックフェラーセンターを買収したり、安田火災海上保険がゴッホの絵を4000万ドルで購入するなど、日本企業が世界を牽引（けんいん）していたと言っても過言ではありません。会社だけでなく個人も好景気の恩恵を受け、今では信じられない話ですが、夜の六本木はタクシーが捕まらず、一万円札をチラつかせてタクシーを止めたりしている人もいたほどです。

そして１９８９年末、日経平均株価は3万８１９５円という当時の史上最高値を記録しましたが、日銀は実体を伴わないバブル経済を終わらせるために、政府による不動産の規制や日銀による金融政策でお金を借りづらくする施策を打ちました。それによってバブル経済は崩壊、多額の不良債権を抱えた銀行は経営が悪化し、当時「破綻しない」と言われていた大手金融機関が相次いで倒産しました。

そして日本は、バブル崩壊後に「失われた30年」という期間に入ります。これは、本来ならば戦後のように経済成長が可能であったのに、30年も経済の低空飛行が続いている状態を表すものです。

アメリカも１９８７年に発生したブラックマンデーと呼ばれる世界的な株価の暴落や、２００１年にＩＴ関連企業株の急激な上昇である「ドットコムバブル」が崩壊したことによる不況などを経験しましたが、見事にそこから復活しています。２０２４年2月に日経平均株価は１９８９年以来の最高値記録を更新したものの、実体経済を見ると日本は低空飛行のままです。その一方で、アメリカは飛躍的な経済成長を遂げていたのです。この違いは何でしようか？

日本は過去に「戦前通りに復活するのは不可能だろう」と世界から囁かれ、ほんの数十年で復活を遂げた底力があったにもかかわらず、なぜ２０２４年現在の日本はこんなにも国力が乏しい国へと堕ちてしまったのでしょうか？

堕ちた日本に勝機はあるのか？

１９８０年代後半頃から日本は「モノづくり大国」と呼ばれ、産業においては世界有数の大国として各国から尊敬の眼差しを浴びていましたが、今はわずかな片鱗を残すほどとなってしまいました。

これからの日本経済を予想すると、少子高齢化が加速し、ますます国力が落ちていくことが自明であり、これからさらに悲惨な状況になると予想されます。円安が加速し、優秀な人材は給与の良い海外にどんどん流出していくでしょう。そして産業やＩＰ（Intellectual Property、知的財産）まで次から次へと他国へ奪われていってしまいます。

国力が低下しても技術力が高い日本の企業は、海外から見るとお買い得に見えるので、様々な会社が外資に買い叩かれる状況になるでしょう。ＯＥＣＤ（経済協力開発機構）の調べによると、日本の平均年収はOECD加盟38ヵ国中24番目で、加盟国の平均年収よりも遥か下です。今でさえ世界基準では低い給与水準ですが、これから先はさらに低くなり、いつの日か「先進国」と呼ばれなくなる日がくるかもしれません。

「まさか日本がそんな状況になるはずがない」

そんな風に思う方もいるかもしれません。しかし、**過去に日本は一度大きな失敗をしています。その失敗とは、約20年前に出現したインターネットとそれを取り巻く情報産業においてパラダイムシフトができなかったことです。**

それまで、日本は自動車や家電製品などの「ハードウェア」で自国の産業を成長させてきました。「モノづくり大国・日本」の自負があったからでしょうか、世界では「これからはインターネットの時代だ」と騒がれ、欧米を中心に様々な企業がこの分野で新しい産業を生み出そうと莫大な資本を投下して研究や開発を加速させていたにもかかわらず、日本はこの情報革命を軽視していました。

人間にとって便利な、形のある電化製品や工業製品を作ることが正しく、「情報」なんていう何だかよくわからない、目に見えないし、触れもしないものが主要な産業になるわけがない。当時は冷笑に似たそんな声が、日本中の企業経営者から聞こえていました。

時代のパラダイムシフトが到来しているにもかかわらず、呑気な顔して傍観していた、そ

世界時価総額ランキングの比較

1989年				2024年		
会社名	国名	時価総額（10億ドル）	順位	会社名	国名	時価総額（10億ドル）
日本電信電話（NTT）	日本	163.9	1	Microsoft	アメリカ	3020.9
日本興業銀行	日本	71.6	2	Apple	アメリカ	2839.1
住友銀行	日本	69.6	3	Saudi Aramco	サウジアラビア	2061.7
富士銀行	日本	67.1	4	NVIDIA	アメリカ	1794.7
第一勧業銀行	日本	66.1	5	Alphabet	アメリカ	1782.2
IBM	アメリカ	64.7	6	Amazon.com	アメリカ	1763.8
三菱銀行	日本	59.3	7	Meta Platforms	アメリカ	1234.4
Exxon	アメリカ	54.9	8	Berkshire Hathaway	アメリカ	874.9
東京電力	日本	54.5	9	Eli Lilly	アメリカ	719.4
Royal Dutch Shell	イギリス	54.4	10	Tesla	アメリカ	638.4

出典:経済産業省ウェブサイト

んな我が国に対して、アメリカや中国はこの情報革命の重要性に気づき、これからは情報およびインターネットが世界を席巻することを確信し、莫大な資金を投下し国家を挙げて人材育成およびインフラ整備を進めました。

結果はみなさんがご存知の通りです。日本が情報やインターネットの重要性に気がつき、重い腰を上げようとしていた頃には時すでに遅し。２０１０年にはアメリカのＧＡＦＡ（Google、Apple、Facebook〈現Meta〉、Amazon）および中国のＢＡＴ（Baidu、Alibaba、Tencent）などのＩＴ企業が世界のマーケットの主流となり、１９８９年（平成元年）には日本企業が名を連ねていた世界時価総額ランキングも、２０２４年（令和６年）には上位に日本の企業が一社も登場しないという事態となりました。

インターネットの出現によりパラダイムシフトが起

き、今まで「ハード＝モノづくり」が重要視されていた産業界において、これからは「ソフト＝情報」が重要になっていく。そこに気づいて思い切った舵を切らなかった結果が先述のランキングに表れています。

たとえばＳＯＮＹは、１９７９年に今まで部屋で聴くことが主流だった音楽を、ウォークマンという商品を発売して音楽を外に持ち運べるようにしたことで、空前の大ヒット商品へと成長させました。

それまでアナログレコードで聴いていた音楽をカセットテープに録音したり、すでに音源が入っている市販のカセットテープを外に持ち出してウォークマンで聴く。このスタイルは社会現象となりました。

その後、ＣＤ（コンパクトディスク）の出現と共にアナログレコード文化は衰退し、代わってポータブルＣＤプレイヤーが登場。人々はＣＤとプレイヤーを外に持ち運んで音楽を楽しみました。

そして２００１年、人間が音楽との関わりを大きく変えることになるデバイスが登場します。それが Apple から出た初代 iPod です。

当初 iPod は、自分の保有しているＣＤなどをパソコン経由で取り込み、楽曲を iPod で聴くという方式を採っており、初代 iPod は約１０００の楽曲を収録できました。

そこから「iTunes Store」というコンテンツ配信サービスが登場、音楽や映像を購入し、ダウンロードしてiPodで楽しむという時代を経て、「Apple Music」という月額制の音楽配信サービスで、クラウドにある1億曲以上もの楽曲が聴き放題という時代が到来しました。

このiPodが発売された当初、技術的な面においてSONYにも類似の競合たり得る製品を作り出すことが可能であると言われていました。実は1999年12月に、SONYはメモリースティックに音楽を入れて持ち歩ける「初代ネットワークウォークマン」を発売していたます。つまりiPodよりも先にメモリーに大量の音楽を入れて持ち出すスタイルを実現していたことになります。

しかしSONYは当時、あくまで質の高いオーディオ製品や電化製品を作る会社であるという哲学を曲げず、ハードウェアメーカー、レコード会社、ユーザーが共に音楽を楽しめるスキームを作らなかったために、インターネットがもたらす視聴環境の変化に積極対応できませんでした。最終的にSONYをはじめとする日本の音楽関連企業は、音楽配信サービスにおいて「Apple Music」や「Spotify」などの海外企業に大きく水をあけられてしまう結果となるのです。

後に「ｍｏｒａ」という配信サービスも展開しましたがすでにマーケットの勝負はついていました。もちろん再生装置へのこだわりは素晴らしく、私もヘッドフォンからアンプまで

SONY製品を愛用しているのでその実力は疑いようもありません。ただ、インターネットがもたらした視聴環境の変化は再生装置の売り上げにも大きな変化をもたらしました。活用できる技術と資産を持ちながら新しいモデルにいち早く参入できなかったことが、大きな差を生むこととなったのです。

一方、2001年に初代iPodをリリースし、その後音楽配信サービスで成功したAppleですが、その初代iPodを出した2001年という時期は、ネットビジネスが大きく飛躍する、まさしくベストなタイミングでした。

遡ること6年前の1995年は、「インターネット」という言葉が新語・流行語大賞にノミネートされ、民主化が進んだ年でした。同年、アメリカではジェフ・ベゾス率いるAmazonがサービスを開始し、それから5年の間にオークションサイトの「eBay」が誕生、ラリー・ペイジとセルゲイ・ブリンがGoogleを立ち上げるなどの出来事が次々と起きて、まさにインターネットとその周辺のビジネスやサービスが急激に拡大していった時期でした。

そんな時代の波に乗るかのように、AppleはiPodとiTunes Storeで音楽ビジネスを次々と展開して事業を拡大していきました。一方で、SONYは長い低迷の時代へと突入していくことになります。

情報時代の勝者Amazonの勝ちシナリオ

もう一つ、日本のマーケットを席巻したアメリカの企業Amazonが、どういう方法で市場を拡大していったのかを解説したいと思います。

日本の多くの企業があまり重要視しなかった「情報の価値の大きさ」という部分に注目し、創業時から「The Everything Store（なんでも売る店）」をビジョンに掲げて事業を始めた創業者のジェフ・ベゾスですが、このビジョンは、「Amazonが、消費者とメーカーやお店を繋げて、あらゆるものが世界中のどこからでも購入できる、という便利なサービスを提供したい」という思いから創られたものでしょう。

ところが、当時のAmazonはスタートアップでしたから大企業のように大きな資本はありません。そこでベゾスは最初に扱う商品を「書籍」に絞り、「ネット書店」としてAmazonをスタートさせました。

彼はもともと金融系の会社出身で、出版業界は門外漢でしたが、本は「腐らない」「商品コードであるＩＳＢＮ番号が全ての書籍に振られているので管理が楽」「スタートアップでも本を仕入れる問屋＝取次から本が仕入れやすい」等々の理由から、ネット販売に書籍という商材は適していると考えたと思われます。

１９９３年にAmazonを立ち上げた後、アメリカで事業を拡大させ、２０００年には、日本においてもネット書店として事業をスタートさせました。日本の出版業界において、書店は取次を通して本を出版社から仕入れる慣習でしたが、Amazonは徐々に出版社との直接取引を始め、取次を中心とした関連会社から「黒船」と呼ばれるようになりました。しかし、その利便性から大きく事業は拡大し、今ではAmazonは日本はもちろん世界中に規模を広げ、本だけでなく様々なものを販売しています。

ここでAmazonが「書籍」という商材に注目し、そこから色々な商品を扱うようになった経緯に最大のポイントがあると考えます。

それは、**先に述べた「情報」の価値の大切さです。書籍という商材は、もちろん扱いやすいなどの利点がありますが、一番のポイントは「顧客の趣味嗜好がわかる」という点でしょう。**

みなさんがAmazonを何度か使っていると、「あなたにはこれがおすすめ」と自動でレコメンドしてくることがあります（このレコメンドはデータ分析の一つである機械学習によって行われますが詳細は割愛します）。書籍の販売を通じてたとえば、ゴルフ関連書を買っている人にはゴルフ好きのフラグを、料理本をよく買っている人には料理好きのフラグをつけておきます。これによって、個人個人の趣味嗜好に関する膨大なデータを、書籍の販売を通して獲得し分析していて、ゴルフの雑誌を買っている人に新製品のゴルフクラブをレコメンドしたり、料理好きの読者には調理器具をレコメンドしたりして、コンバージョン率を上げるのです。

そしてそのデータは、書籍からあらゆる商品を売るようになった時に価値は最大化されます。

今Amazonは世界中で色々な商品をオンライン上で販売していますが、これを通して世界中の国の様々な属性の人の「情報」を取得し、それをビジネスに活用しているのです。「情報」を膨大かつ多角的に持つ会社が強くなることを理解し、資本を投下してビジネスにしているのは、AppleやAmazonだけではありません。誰でも使える無償の検索エンジンを開発・提供しているGoogleをはじめ、アメリカや中国を中心とした世界の巨大テック企業の多くは、「情報」がいかに大事になるかを初期の段階から見極めビジネスを拡大してきました。

一方の日本は、情報を握るポータルサイトやグローバルで通用するＥＣサイトでは、完全に後れを取る結果となってしまいました。楽天などチャレンジしている企業もありますが、グローバル展開は苦戦しているようです。

オワコン日本に訪れる最後のチャンス

生活や仕事に関わるインターネット関連のインフラやプラットフォーム、サービスを思い浮かべてみてください。

Amazon、Google、Apple、Netflix、Spotify、LINE、Uber Eats、Facebook、X（旧Twitter）、Instagram、TikTok、Zoom、Microsoft……。

その多くが海外資本の会社です。「情報」の大切さに以前から気づき、この業界に早くから乗り出していた会社が、このようにインターネット関連のプラットフォームサービスを立ち上げて発展させてきました。

これらのプラットフォーム企業は、単にサービスや商品を提供するだけでなく、大量の情報を収集し、それを基に新しいサービスを展開しています。これから先も関連事業はさらなる発展を遂げていくでしょう。

この「情報の収集源」を持っていない企業は、プラットフォーム企業が提供するサービスの中で、サービスや商品を提供するしかなく、多くの手数料や利用料、さらには情報までもプラットフォーム企業に提供しているのです。これが日本が挽回（ばんかい）できない最大の理由です。

世界と比較して、情報産業において完全に出遅れた日本はこのまま凋落してしまうのか？　私は、このままだと確実に先進国から外れていってしまうと考えていますが、形勢逆転可能な最後のチャンスが近い将来確実に訪れます。

それが、**1990年代に起きた「インターネット」革命に匹敵する「空間コンピューティング」によるパラダイムシフトです。**日本は、この最後の転機に再び指を咥えて見ているだけでは、インターネット革命の二の舞になってしまうでしょう。

アナログレコードからウォークマンへ。一部のマニアな人のものだったコンピュータがiMacの出現でリビングに置かれるものに。「ソフトを買って楽しむ」ものだった音楽や映像が、配信型サブスクリプションに。そして、机の上で作業するのが当たり前だったパソコンは、iPhoneの出現でポケットの中に収まり、生活に欠かせないものとなりました。

このように、私たちは様々なパラダイムシフトを経てきましたが、私はこれから到来する空間コンピューティングの普及はこれらとは大きく違う、まさに世の中にインターネットが普及して人々の生活が大きく変わった時と同レベルの「革命」であると考えています。

一番の大きな違いは、長年コンピュータというデバイスに縛られていた人類が、空間コンピューティングの出現により、コンピュータに縛られない時代が到来するという点です。

コンピュータを使って空間をコントロールしているのに、コンピュータに縛られないというのは少々意味不明かもしれません。

今までは、インプットやアウトプットをする際には、机に向かって椅子に座り、パソコンを広げたりスマホを取り出して操作する必要がありました。しかし空間コンピューティングの時代になると、それに対応したデバイスを身につければ、そのデバイスが身の回りのあらゆるものと全て繋がるようになります。時間や場所に関係なく、いつでも必要な時に必要な情報をインプットしたりアウトプットできるようになります。

たとえば、今までは何か一つのことをしている時は、基本的に複数のことを同時に処理することができませんでした。しかし、空間コンピューティングの世界では複数のタスクをインプットしつつ、アウトプットすることが可能になるのです。

空間コンピューティングで、どの場所にいても全ての空間がネットに繋がり、インプットやアウトプットが可能になる未来。この近い将来当たり前になるであろう未来は、大きなゲームチェンジを引き起こすと確信しています。

そしてこれは、日本にとって大きな、そして本当に最後のチャンスだと考えています。

なぜなら、日本はこの空間コンピューティングの世界で必要不可欠である非常に強い武器を持っているからです。それは「良質なコンテンツを作ることができる力」です。

以前はハードウェアづくりが得意だった日本でしたが、気づけば中国や台湾のほうが、ハードウェアづくりが得意な国になっています。スマートデバイスに必要不可欠な半導体ですが、これらの生産も、台湾や中国のほうが得意な時代になっているのが現状です。スマートフォンのハードウェアからほぼ撤退した日本は、今後何で勝負していくのか、その一つがコンテンツであると私は考えています。

２０２３年、国民的漫画である『SLAM DUNK』が映画化され、漫画版ではラストに描かれていたもののアニメ版では登場しなかった最後の試合（山王戦）がついに描かれ、大きな話題を呼びました。

この映画『THE FIRST SLAM DUNK』は、結果的に国内興行収入が１５７億円、総観客動員数は１０８８万人、国内歴代興行収入は13位という素晴らしい結果を残しました。そして、この作品の快進撃は日本だけではありませんでした。中国でも大ヒットを記録し、約４ヵ月の上映期間で、興行収入が約１３１億円、総観客動員数は約１８１７万人を超えました（２０２３年８月時点）。

韓国も例外ではなく、総観客動員数は４００万人を超え、興行収入は40億円とそれまで韓国で１位だった『君の名は。』の記録を塗り替えました（２０２３年３月時点）。

みなさんご存知の通り、海外で人気の日本の漫画・アニメは『SLAM DUNK』だけではありません。『NARUTO』や『DRAGON BALL』『鋼の錬金術師』『鬼滅の刃』などは、アジアや北米をはじめ世界中で非常に人気で、スタジオジブリ作品や新海誠監督の作品なども海外で高い人気を誇ります。

2024年3月に漫画家の鳥山明氏が亡くなられると、世界中の人が哀悼の意を表し、中米のエルサルバドルでは国を挙げて喪に服すほどでした。

なぜこのように日本発の漫画やアニメは世界で人気なのでしょうか？　以前中国の方から聞いたことがあるのですが、中国は日本のアニメの絵などを真似(まね)ることは可能だが、日本人が作り出すストーリー展開や世界観、アニメーションの細かい動きなどのスキルはなかなか身につけることができないそうです。真似することはできるけれど、自分たちでストーリーを作り出して細かい動きまで演出するというのは、日本人には遥かに及ばないと言っていました。

2010年頃から経済産業省を中心に「クールジャパン」戦略と題し、ポップカルチャーを中心とした日本の文化を海外に発信する動きが功を奏し、海外の人たちからの注目度が高まっているのは事実です。

日本に来る観光客の方々も秋葉原に行くことを目当てにしたり、アニメや漫画関連のグッズを求めたり、「聖地巡礼」が目的で日本を訪れる方は少なくありません。

しかし、いつまでも胡座(あぐら)をかいていられないなという状況を目の当たりにしたことがあります。

それは熊本にある、熊本コアミックスというコンテンツ制作をする会社を訪問したのがきっかけです。阿蘇山（あそさん）の麓にあるこの会社には、海外から漫画の描き方を学びたいという意欲溢（あふ）れる若い人が集まっていて、中国や台湾から来た人も日本人のもとでアニメ制作を学んでいます。

この場所で、必死に日本の文化である漫画を学ぼうとしている若い人たちを見て、私は「このままだと、この文化すら日本よりも海外のほうが近い将来発展してしまうな」という危機感を抱きました。

昔は「アイドル文化と言えば日本」というイメージが強かったのですが、気づけば韓国にその座を奪われてしまっている状況と同じように、漫画やアニメーションの世界でも同じようなことが起きるのでは、と感じています。

僕らの推しは働かされている

日本は今まで、アニメや漫画、ゲームの世界で、世界中の人々が驚くようなコンテンツを数多く作り出してきました。ところが今、その分野においても海外の会社に主導権を握られている事象が増えてきています。

たとえば、任天堂が作り出した『ポケットモンスター（ポケモン）』をベースに作り出された、大人気の位置情報アプリ『Pokémon GO』は、ＩＰは任天堂、クリーチャーズ、ゲームフリークの3社がキャラクターの原著作権を保有し、それを株式会社ポケモンにライセンスしています。ですが、位置情報アプリや拡張現実アプリを開発し、サービスを提供しているのはアメリカのNiantic（ナイアンティック）です。

収益の配分ですが『Pokémon GO』は、「Google Play」と「App Store」を通じてユーザーに配信されているので、**売り上げのうち30％をプラットフォーマー、70％をNianticが受け取っています。そこから通常のキャラクターライセンス使用料だと10％以下が支払われ、ポケモン、任天堂、クリーチャーズ、ゲームフリークの4社で配分することになります。**さすがに『ポケモン』のＩＰありきのサービスであり、開発協力もしているので先に述べた通常の配分ではないと思いますが、**少なくとも、売り上げの半分以上は、海外資本の会社の売り上げに貢献していることになります。**

スマートフォンの位置情報を使って、実際に街なかを歩いて「ポケモン」を捕獲して遊ぶこのゲーム、コンテンツづくりが得意な日本のアプリ開発企業なら、「プラットフォームを作る」という視点でもいち早く考えることができたでしょうし、こういう発想は可能だったはずです。

『Pokémon GO』開発のきっかけは、２０１４年4月、Googleが実施したエイプリルフール企画「ポケモンチャレンジ」（Google Maps上でポケモンを捕まえるコンテンツ）だったと言われています。それがNianticの目に留まって、ポケモンにアイデアを持っていきスタートした事業なのです。

GoogleやNianticで日本人が活躍し、そこから生まれてきたという意味では日本人がグローバル化しているとも言えますが、サービス提供はあくまでもアメリカ企業です。この手のサービスはプラットフォーム提供社、サービス提供社が、収益の大半を持っていくビジネス構造になっているのです。

このようにIPを海外企業に活用され、気づけばプラットフォームは海外の会社が握っているという事例は『ポケモン』以外にも数多くあります。結局新しいコンテンツやサービスを作っても、他国や他社のプラットフォーム上で展開している以上、一番儲かるのはそのプラットフォームを運営している会社なのです。

私は別に、海外企業を排除したいからこんなことを言っているわけではありません。日本企業のほうがチャンスがあったはずなのに、そこに参入できなかったのが残念だということをお伝えしたいのです。

このような話は『ポケモン』のようなメジャーな事例だけではなく、私たちの身近にも多く存在します。

以前、とあるキャラクターの権利を持つ企業と一緒に、ＬＩＮＥスタンプを作った時のことです。ＬＩＮＥスタンプは契約上、Apple、Googleが決済手数料を30％取り、ＬＩＮＥというプラットフォームを持っているＬＩＮＥ（当時は韓国企業）が売り上げの35％を取るというスキームになっていました。つまり実際に手を動かして作業する制作側は、わずか35％を、企画者、制作者、著作権者など複数人で分けるという契約内容でした（なんと私には12％しか入ってきませんでした）。

つまりプラットフォームを押さえられるというのは、事業収益と情報とを押さえられてしまうということを意味するのです。

また韓国繋がりで別の話ですが、韓国のタクシー業界は国がプラットフォームをコントロールしています。

２０１３年頃、日本でも「Uber Eats」でおなじみのUberが韓国でサービスをスタートさせましたが、旅客自動車運輸事業法の規定上違法となりサービス中止となりました。

代わりに政府が資金を出し、韓国大手インターネット関連会社であるカカオに配車サービスである「カカオタクシー」を作らせました（日本もUberのライドシェアへの進出を抑えていましたが２０２４年４月に一部解禁となりました。ただしタクシー業界を通じての配車となり配車プラットフォームとしての位置を守り抜いている点は評価できます）。

また、最近中国で日本の代表的なキャラクターが正式にライセンスされている例も出始めています。キャラクターを使った新しいビジネスを構築して輸出するのではなく、過去からの遺産を単純に切り売りしている形なので、一番儲かるのは中国企業です。もちろんその仕組みを作れなかった日本の企業の問題ですが、「そこを譲るか？」という事例には寂しさを感じてしまいます。

日本は、あらゆる業界（特にＩＰビジネス）において、気づけばプラットフォームを海外の企業に牛耳られているという状態になっています。

これを古代ギリシアの哲学者・プラトンが「イデア論」を説明するために用いた「洞窟の比喩」で説明してみましょう。

ある囚人が洞窟の中に拘束されていて、その洞窟には焚き火があり、看守が焚き火の前で、動物の模型を持っています。そして囚人は、洞窟の壁に映った動物の模型の影を見て、その影が本物の動物だと思い込んでいます。

人々が見ている現実は作られた影絵であるにもかかわらず、人はそれを実在のものと認識

洞窟の比喩のイメージ

している。ですが、本当の世界は洞窟から出たところにあり、そこは自由な世界であるという皮肉を教えてくれているのがこの「洞窟の比喩」です。このたとえが、今の日本が情報競争で陥っている状況によく似ているのです。

今、私たちが仕事や生活で使っているインターネット上のサービスの多くは、海外の会社が作ったプラットフォーム上に成り立っています。そのプラットフォーム上で多くの日本企業がサービスを立ち上げ、情報と収益を提供しています。

ところが日本は、洞窟の中だけが現実だと信じて、そこで高品質なものを生産し、それを安く提供しています。洞窟の中の仕組みがプラットフォームだとすると、その洞窟を支配している海外のプラットフォーマーは外の自由な広い世界を堪能しているのです。

イデア論そのものとは少々違う解釈ですが、この絵を見ていると今の日本を象徴しているように思えてしまいます。

ＩＰビジネスもまたしかりで、日本で作られたコンテンツなのに海外で作られたプラットフォームに乗ると、売り上げのほとんどはプラットフォームを作った会社が持っていくスキームになっています。

これだけ魅力的で世界の人々から愛される「推し」を生み出せるにもかかわらず、その「推し」を楽しむ舞台（プラットフォーム）が海外の企業が作ったものであることに疑いを持たない人が多いのが今の日本です。世界はもっと広いにもかかわらず、小さな洞窟の中が世界の全てだと思っている「プラトンの洞窟」の中に生きている人間のような状態になっていると私は感じています。

ＡＶＰのリリースをきっかけに、これからはハードウェアにおいてもソフトウェアにおいてもテクノロジーが進化し、空間コンピューティングが人々の生活により身近なものになることは確実です。**大きなゲームチェンジが起きようとしている今、この世界に乗り込んでいかないと、「安い日本」はますます加速していくでしょう。**

私は特に、これから社会の主役となっていく若い人たちに空間コンピューティングを学んで欲しいと思っています。というのも、基本的に空間コンピューティングの世界は**「三次元で物事を考える力」**を持っているほうが有利だからです。

私は先日、今の大人の感覚が、近い将来通用しなくなると思った出来事があります。それは最近の子ども向けの３Ｄお絵描きアプリを見た時のことでした。

私たち大人は、たとえば紙に円柱などの立体物の絵を描く時には、まず平面で楕円（だえん）を描き、線を加えることで奥行きを表現し、二次元のものが三次元に見えるように工夫して描きます。

ところが、私の息子が、アプリでお絵描きをしている姿を見た時に、今の子どもというのは「三次元のものを三次元で描く」ことができることを知りました。

息子は円柱を描く時、まず楕円を描くところまでは大人と同じなのですが、四角なのか、円なのか、大まかな形を決めたら、側面を立体的に見えるように描き始めたのです。

私たち大人は、二次元の紙やディスプレイで立体的に表現するために、二次元のものを三次元であるかのように描く方法を自然と身につけてきました。一方今の子どもたちは、三次元のものを三次元で描くことができる道具も感覚も持っているのです。

しかもテクノロジーの進化により二次元よりも圧倒的な情報量を持つ三次元のコンテンツを、作り、送り、人とシェアできるという環境が整ってきています。

一昔前は「デジタルネイティブ世代が出現した」と騒がれていましたが、次に来る世代は**「３Ｄで見たものを３Ｄでアウトプットできることが当たり前の世代」**が出てきて、そうい

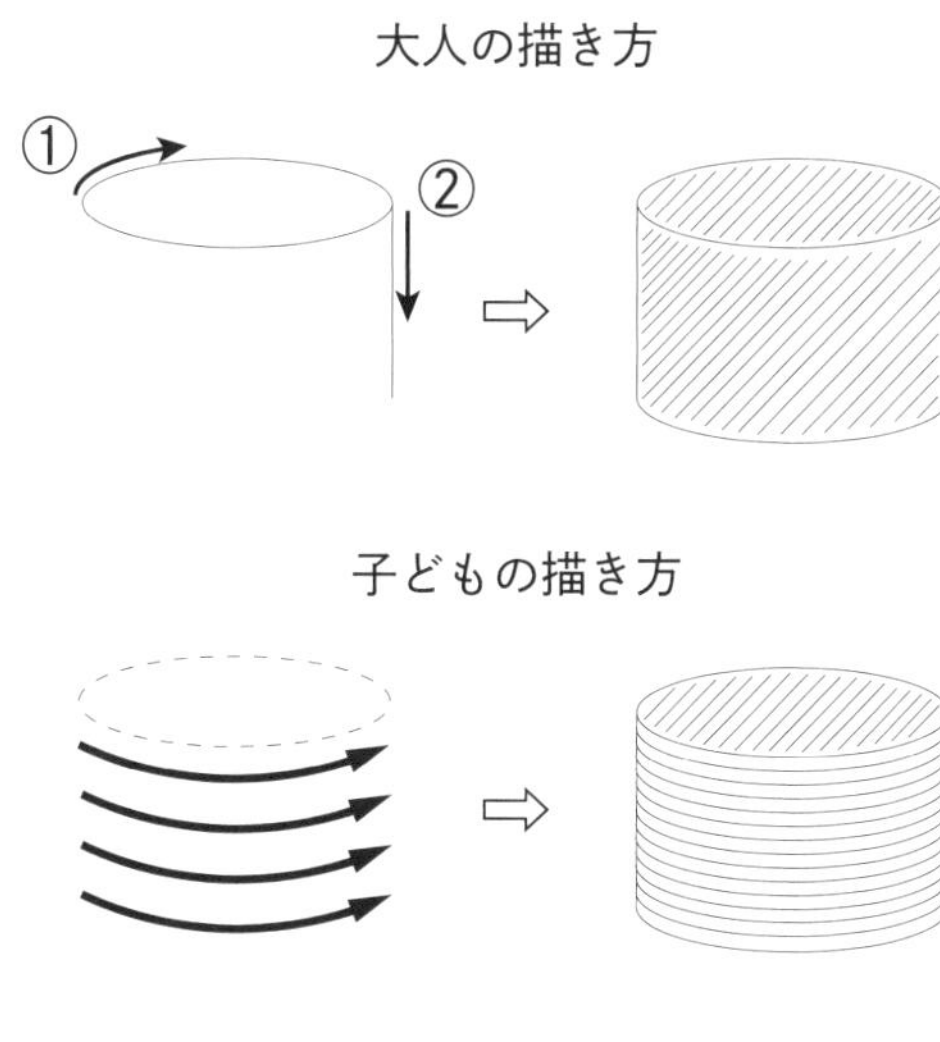

う人たちがこれからの未来を創っていくのではないかと考えています。

空間コンピューティングは、1990年代に起きたインターネット革命に匹敵するゲームチェンジで、これにより人々は現実世界と仮想の世界を同じ価値として取り扱うことができる、つまりリアルとバーチャルを融合した空間を扱うことが可能となり、もっと豊かなライフスタイルを送れる可能性が生まれます。

しかし、現実世界と仮想の世界を融合して取り扱うと言われても、「仮想の世界」とは一体何なのかを正しく理解しないと腑（ふ）に落ちないかもしれません。

そこで次章では、「仮想の世界」の一つの概念である、「メタバース」の歴史とその考え方について解説します。

第１章

メタバースとは何だったのか

様々な空間の概念

空間コンピューティングについて語るにはまず、おそらく皆さんも一度は耳にしたことがある仮想の世界の概念「メタバース」に触れておかねばなりません。なぜなら、空間コンピューティングの世界は、メタバースにおける技術と知識を積み上げて完成されたものだからです。

このメタバースやＶＲ、ＡＲ、ＸＲなどの概念は色々な種類があり複雑かつ似ているので、理解するのが少々難しい上に、人によって解釈の仕方が違ったり、間違った解釈で伝わっている場合もあったりするので、この章で詳しく説明します。

まず「メタバース」という言葉はもともと、１９９２年にアメリカの作家ニール・スティーヴンスンが発表したサイバーパンク小説『Snow Crash』という作品で初めて登場した概念です（ちなみに「アバター」という言葉もこの作品で初めて使われました）。

メタバースは「Meta（超越）」と「Universe（世界、宇宙）」を組み合わせて作られた造語で、現実空間（Real World、ＲＷ）に生きる人が作った仮想空間（Virtual World、ＶＷ）に没入する世界のことです。

様々な空間の意味と具体例

名称	意味	具体例
RW（Real World、現実世界）	人間が暮らすこの世界	—
VW（Virtual World、仮想空間）	現実空間に生きる人が仮想に作った空間	Second Life、VRChat、Fortnite、Decentraland、あつまれ どうぶつの森
VR（Virtual Reality、仮想現実）	仮想空間に没入する体験	ユニバーサル・スタジオ・ジャパン VR ライド
AR（Augmented Reality、拡張現実）	現実空間をベースにデジタルデータで補完する空間	Pokémon GO、SNOW
AV（Augmented Virtuality、拡張仮想）	仮想空間を軸に現実のデータを補完する空間	Google Earth
MR（Mixed Reality、複合現実）	リアルとバーチャルが融合された空間	Microsoft HoloLens、Magic Leap、スマートグラス各種
XR（Cross Reality）	VR、AR、MR などの総称	Apple Vision Pro などの空間コンピュータの作り出す世界

実際にそこにいないのに、あたかもその場所にいるかのような体験ができたりする技術が仮想現実（Virtual Reality、VR）です。よく頭に装着するヘッドマウントディスプレイ（以下HMD）が「VRゴーグル」「VRレンズ」と呼ばれますが、ここで使われているVRがこのVirtual Realityです。

ユニバーサル・スタジオ・ジャパンにある可動式の椅子とVR映像で本当にアニメの世界に入っているかのような体験を味わえるアトラクションなどが、この技術を活用しています。

そして『Pokémon GO』のように、現実空間をベースにしてデジタルデータで補完する概念を、拡張現実（Augmented Reality、AR）と言います。このゲームは実際にスマホを片手に歩いて、位置情報を活用し、現実世界と「ポケモン」の世界をミックスさせ、特定の場所に着くと「ポケモン」を捕獲したりできます。

一昔前に中高生を中心に流行った写真・動画加工アプリの『SNOW』も、現実空間にARの技術を使ってフィルターをかけるサービスで、これもARの一種です。

またGoogle Earthのように、仮想空間（仮想の地形）を軸に現実のデータ（実際の写真）を補完することを、拡張仮想（Augmented Virtuality、AV）と言います。

そして、**リアルとバーチャルが融合し、現実の物理的制約までも共有できるものを、複合現実（Mixed Reality、MR）と呼びます。**

ARと何が違うかというと、たとえば、ARで紹介した『Pokémon GO』は、現実を背景にバーチャルのポケモンが重なって表示されますが、現実世界にある壁にぶつかったり穴に落ちたりはしません。つまり現実の環境を認識はしていません。

一方、もしMRで『Pokémon GO』ができるのであれば、現実の環境を仮想物にも影響させるため、「ポケモン」が現実世界の壁に隠れたり、手で押したら後退りしたり、現実空間から影響を与えることができるのです。まさにリアルとバーチャルが融合するという感じです。

そして、**XR（Cross Reality）というのはVR、AR、MRなどを融合した概念で、XRに参加する人がリアルとバーチャルを融合した環境で影響し合って体験を作ることができ**

る装置が空間コンピュータであり、その技術を「空間コンピューティング」と言います。

このように、比較的新しい概念なのではっきりとした明確な定義はないのですが、「3D技術で作られた仮想空間」「仮想空間を使ったサービス」のことを指して「メタバース」と言われるケースが多いです。

具体的に説明すると、Nintendo Switchのゲーム『あつまれ どうぶつの森』のような世界観です。プレイヤーはゲーム内で自分の分身であるアバターを動かして、島の中を開拓したり他のアバターと交流したりするのですが、このようなことが可能なネット上における空間のことをメタバースと呼んでいます。

一方、仮想通貨を取り扱う界隈でもメタバースという言葉が出現します。たとえば、ブロックチェーン技術を活用して作られた代替不可能な鑑定書や証明書がついたデジタルデータのことをNFT（Non-Fungible Token）と言いますが、NFTとして購入した絵画や動画などはPCやスマホの中のWalletに保有しており、鑑賞したり、人に見せたりしづらいため「仮想空間に展示場を作る」という発想から、独自の仮想空間を活用しています。

デジタルコンテンツをブロックチェーンで管理することによって所有できるようにしているものがNFTなので（NFTについて説明するとそれで一冊書けてしまうので詳細は省きますが）、仮想空間とはとても相性が良いのです。

このように、一言で「仮想空間」といっても色々な活用がされているので混乱しやすく、「デジタルで構築された空間で行われるコミュニケーションや経済活動をメタバースという」程度の定義が適切でしょう。

メタバースの過去、現在、未来

メタバースという言葉が世界中で話題になったきっかけと言えば、２０２１年に当時のFacebookのＣＥＯマーク・ザッカーバーグ氏が、同社のビジネスをメタバース中心に舵を切ると発言し、社名もMetaに変更すると発表した時でしょう。

メタバースに注目し、莫大な資金を研究開発に投じている会社はMetaだけでなく、MicrosoftやTencentなど世界中の大手企業がこぞって力を入れてきました。現実の世界でなく、３Ｄ技術で作られたバーチャルな空間が開発され人々が集まると、そこに大きなビジネスチャンスが生まれる。そう確信している企業や投資家が注目し、メタバースに関するビジネスは年を追うごとに大きくなってきたのです。

また、ＶＲやＭＲを体験できるデバイス（ヘッドセット）も各社からリリースされており、ＡＶＰの発売により、さらに高性能なヘッドセットが誕生していくことになるでしょう。

私がなぜ、このメタバースと呼ばれる空間にいち早く着目し、これから巨大なマーケットになると確信しているのか、それには実体験に基づく理由があります。

それが、２００３年にアメリカのサンフランシスコに本社を置くLinden Labが開発した『Second Life（セカンドライフ）』という仮想空間サービスに関する体験です。『Second Life』の世界において、人は現実の世界とは別の自分になることができ、色々な人と交流したりイベントを開催したりすることができます。

私はメタバースや『Second Life』をテーマにした講演やイベントなどに呼んでいただく機会が多いのですが、手前味噌（みそ）ながら日本における「Second Lifeブームの仕掛け人」などと紹介していただけることもあったり、このコンテンツにはかなりのめり込んだ経験があります。

『Second Life』を知った当時の私は、金融機関向けのＳＩ（システムインテグレーター）でコンサルタントをやっていました。ちょうどその頃、いわゆる金融ビッグバンが起きており、あらゆる金融機関がインターネットの可能性に注目し、ネットビジネスに参入し始めていました。

私も金融機関の今後について調査を始めており、日本の金融機関の方と一緒に「Finovate」

というフィンテックのイベントに参加したのですが、その時に隣に座った外資系金融機関の担当者に誘われ、Linden Labという『Second Life』を運営している企業を訪れました。

そこには創業者であるフィリップ・ローズデール氏もいて、『Second Life』の世界観を語ってくれました。ある金融機関は、独自の仮想の島を作り、仮想空間の中で子ども向けにお金の教育をするというのです。仮想空間の中で子どもたちが事業を作り、対価として仮想通貨をもらい、それを使って自分の世界を作る。当時ではかなり最先端のことを語っており、私は同行した金融機関の担当者と共にその世界観に一気に引き込まれ、「日本に持ち込もう！」と足を踏み入れたのが『Second Life』との関わりの始まりでした。

『Second Life』の世界は３ＤＣＧで構成されており、その空間内において、ユーザーはアバターを作って自由に行動することができたり、他のユーザーと交流することもできたりします。

色々な面において先進的だったのですが、大きく注目されたのが、この空間内でユーザーは様々なコンテンツを作成することができる点です。そしてそのコンテンツを、『Second Life』内で流通する「リンデンドル（Ｌ＄）」と呼ばれる通貨で売り買いすることが可能なことも魅力的な特徴の一つです。

また『Second Life』内で活躍するクリエイターに対して、その中で流通する通貨で収益が分配される仕組みになっていて、クリエイターがこの世界で制作したものが売れると、きちんと報酬が分配されます。たとえば、『Second Life』の世界で使える家具を作っているユーザーは、インテリアショップを開業したり、家具店に製品を卸したりすることができます。それが売れれば、売上金をもらうことができるのです。

また、自分が楽曲制作や演奏が得意であれば、曲を販売したり、ライブを開催して入場料をもらうこともできます。

『Second Life』の世界はもちろんバーチャルなのですが、別の人格の自分で新しい体験をすることができ、リアルな自分と別の人生を送れるのが魅力的でした。まさにセカンドライフですね。

余談ですが、私は『Second Life』の世界でアーティストデビューし、作った楽曲を『Second Life』内にあるTOMER RECORDという黄色い看板で有名な某レコード店を模したお店で販売してもらったり、デビュー記念のライブも開催しました。現実世界で実現できなかった夢が仮想世界で実現したので、毎晩ログインして正直かなり没入してしまいました（笑）。

『Second Life』内に著者が作った、海の見える自宅リビング（2006年）

メタバースにおける最大のコンテンツ

『Second Life』ブームの後、約10年の時を経て、再びメタバースブームがやってきました。今回のブームの特徴は、仮想世界に没入できるＨＭＤの登場によって、ＶＲ空間の中にあたかも存在しているように体感できることであり、最も有名なのが、『VRChat（ＶＲチャット）』です。

この世界では、ＨＭＤをつけてバーチャルな空間に没入し、自分の分身であるアバターを通して色々な人とコミュニケーションを取ったりイベントに参加することができます。ＶＲチャットには様々なユーザーが作った「ワールド」と呼ばれる空間があり、自分の好きな場所で他のアバターとの交流が可能になります。

『VRChat』は、２０１９年後半くらいまでの同時接続人数が８５００～１万人くらいでしたが、コロナ禍で利用者が急増し、４万人を超える時期もありました。

この『VRChat』は、『Second Life』のアメリカンなアバターに比べてアニメのキャラクターのようなテイストで親しみがあったのと、ＨＭＤを使ってバーチャルな空間に没入できることが特徴ですが、ユーザー側の制作機能や著作権管理、報酬配分の機能など、総合的にはまだまだ『Second Life』のほうが優秀な点が多いというのが私の印象です。

そして、メタバースというジャンルで括られているコンテンツの中で一番商業的に成功しているのは『Fortnite（フォートナイト）』ではないでしょうか。

『Fortnite』はいわゆるオンラインゲームで、他のユーザーと会話をしながら助け合って戦う「３Ｄ空間のソーシャルゲーム」です。『Fortnite』は、同時接続数が１０００万人という桁違いの人気ゲームで、ＮＩＫＥやコカ・コーラなどの大手企業や様々なアーティストとのコラボ企画なども数多くあります。

２０２０年４月、アメリカのラッパー、トラヴィス・スコットが『Fortnite』上で９分間のライブを披露したのですが、１３００万人が同時に見たと言われています。ライブ自体は無料のイベントだったのですが、ライブ会場で販売された「スキン」と呼ばれる『Fortnite』上のアバターに着せる洋服が、一瞬にして２０００万ドル（約31億円）分売れたそうです。

ちなみに、トラヴィス・スコットがリアルなライブを2018年から2019年にかけて4ヵ月開催し、56公演で5350万ドル（約83億円）の売り上げだったと報じられています。『Fortnite』上での9分間のライブでの売り上げ（「スキン」の売り上げ）と比較すると、いかにバーチャル空間でのビジネスの収益性が高いかがおわかりになるかと思います。

『Fortnite』は、ソーシャルゲームのようにガチャを回させたり、武器を売ったりするのではなく、アバターに着せる洋服である「スキン」や、ダンスや振る舞いなど、ゲームにおけるコミュニケーションを豊かにしたり、喜怒哀楽を表現するための「エモート」などを売ることがキャッシュポイントになっています。

2021年当時、これらの販売で『Fortnite』は年間50億ドル（約7800億円）の売り上げがあり、同社は、ゲーム会社というよりは「世界指折りのデジタルファッションブランド」だと言われています。

「過疎バース」と言われた下降時期

今まで過去に話題となったメタバースやVRの世界の面白さについてお話ししましたが、ウィークポイントや問題点についても触れておきます。

私が『Second Life』での経験を経て学んだことは、**バーチャルな世界というのは今のところ、何かイベントごとがないと人が集まらないということです。つまり誰かが何かを企画してそれが広まらないと、バーチャルな世界では人は集まってこない**というのが現状です。

たとえば、あるユーザーが街を作り、その街に豪華なコンサートホールができたとします。そして仮想空間で人気のミュージシャンがそのコンサートホールを使ってライブをし、それに10万人が集まってすごく賑（にぎ）わったとしましょう。

ところが、そのライブの翌日はそのコンサートホールでは何もイベントがないので、当然のことながら人は集まりません。つまり、仮想空間においては、何かしらのイベントがないと、現実世界より「過疎化」してしまうのです。

これがいわゆる「バーチャルメタバースの過疎化」と言われるもので、過去にメディアでも何度か取り上げられました。たとえば2007年12月の新聞記事では「Second Life 過疎化」という見出しで報道されました。バーチャル空間の街並みはすごく立派なのですが、『Second Life』上に人が全然いないという趣旨の記事でした。

また直近では、2022年10月に「バーチャル・大阪」での過疎化について報道がありました。これは大阪・関西万博を盛り上げるために作られたバーチャル空間なのですが、ピーク時は一日に10万人近くの来訪者がいたにもかかわらず、今では5000人程度に激減してしまったという報道でした。

これらの現象を取り上げ「バーチャル空間には限界がある」「バーチャル空間は過疎化している」などと報道されました。確かに人がいなくなったのは事実です。しかし私からすると、一部の現象だけを取り上げて、「過疎化」と言い放つのは少々無理があるなと思います。

そもそもバーチャルメタバース空間というのは仮想の空間ですから、基本的には人はいません。そこにわざわざパソコンを立ち上げてＨＭＤを装着し、その空間にアクセスするというプロセスを経た人たちしか集まらないので、イベントが何もなければ当然人は集まりません。

それを理解していないメディアは、何のイベントもない時に覗（のぞ）きに来て、「過疎化だ、過疎化だ」と騒いでいたにすぎません。リアルな世界でもそうであるように、コンサートホールやライブ会場は、何もイベントがない時には人はいません。

ですが、私はただメディアを批判したいわけではありません。このニュースで「何もないバーチャルなところに人を集めることがいかに大変か」ということを関係者が学んだことが大きな収穫でした。

普段リアルな空間に人を集めるのすら大変なのに、わざわざコンピュータを立ち上げてデバイスを身につけて空間に入ってもらっても、何もイベントがなければ人は集まらない。冷静に考えると当たり前のことですが、これを解決しなければ、つまり「日常の中で使う状態」がなければ限界がやってくるということを、このニュースをきっかけに学びました。

また、メタバース空間におけるもう一つの課題として、企業側がビジネスとしてキャッシュポイントを生み出すことが難しい点が挙げられます。まだまだデジタルなアイテムはリアルなアイテムと比べて価値が低いと見られることが多く、実際に人件費はかかるのに収益が追いついていないことがほとんどです。

さらには、スタイリッシュなアパレル企業が、ある無料のイベントを開催して、そこにアバターを集めて流行りのスーツを販売しようとしても、このようなメタバース空間を利用しているユーザーとは顧客属性が違う場合が多く、スーツはなかなか売れません。基本的にスーツを買う人は、メタバース空間でなくてＥＣだったり実店舗を利用するのがまだ多数派です。

人気のメタバース空間にスポンサーという形で企業が入ってブランディングに活用する場合は別にして、様々な業界においてメタバース空間だけでキャッシュポイントを生み出してビジネスにするというのにはまだ障壁が多く、その結果会社が売り上げという効果を出しにくいというのが一つの課題です。

メタバースの経験から生まれたリアルメタバース

一般に普及するにはまだまだ課題の多いメタバースですが、私は『Second Life』で経験したあの衝撃が忘れられず、当時マサチューセッツ工科大学に留学し、帰国後ＶＲ技術の研究開発をしていた山口征浩(まさひろ)氏と共にメタバースの会社を立ち上げました（山口は現在私が働いている会社のＣＥＯです）。

バーチャルやメタバースをビジネスにするにはいくつも課題があると感じながらも、一方で無限の可能性も感じていました。

それは、バーチャルの世界をバーチャルだけの空間に閉じ込めず、リアルと融合させてビジネスを展開していくＭＲの世界観です。あくまでもリアルを軸とし、リアルの世界にバーチャルの世界を重ね合わせる。それがリアルメタバースの考え方です。完全にバーチャルの世界に没入するのではなく、日常の延長線上でバーチャル空間を楽しんだり活用する時代が必ずやってくると確信し、２０１６年、新宿の小さな雑居ビルを拠点に活動をスタートさせました。

その後、２０２０年に大きな転機が起きました。それは世界中の人々を襲った新型コロナウイルスのパンデミックです。コロナ禍に見舞われた人々は現実の生活において不便を強いられることになりましたが、皮肉にも逆に恩恵を受けたのがメタバースの世界でした。在宅時間が多くなった結果、仮想空間が注目され、一時期人が減っていたこの空間に、再び人が集まるようになりました。

今まで当たり前のように実際に会議室に集まり開催されていたミーティングも、オンラインでも不自由なくコミュニケーションできることがわかると、「仮想空間でこれも可能なのではないか?」と様々なアイデアが生まれました。そこに投資する人間と資金が増え、あらゆるテクノロジーを使ってデバイスが開発され、それによってソフトウェアを作る会社が一気に増えてバーチャルメタバースの世界が広がりました。

また、ソーシャルVRである『VRChat』や、バーチャル空間サービスを提供している日本の企業・クラスターがKDDIと2020年5月に「バーチャル渋谷」というプロジェクトを立ち上げたり、世界最大級のVRイベント「バーチャルマーケット」を開催していた日本企業・HIKKYの取り組みなどに注目が集まりました。

私の会社は当時、バーチャル空間だけのメタバースの案件も多数いただいていたのですが、コロナ禍になる前から「この先リアルとバーチャルの融合が確実に進んでいく」と確信していたので、バーチャル空間だけのメタバースのお仕事の多くはあえてお断りしていました。

コロナ禍において私たちが注力したことは、都市の3Dデータを作ることだったのです。商業施設は休業を余儀なくされていたので、不謹慎ではありますが、人がいないというのは、建物をキャプチャするには最適の状況でした。

そしてコロナ禍が収束し、人々の往来が増えていく世界になりました。会社で直接人に会わずとも仕事が可能だったり、生活やエンターテインメントにおいても極力人と会わなかったり、非接触の機会がコロナ禍で増えていましたが、アフターコロナになって「バーチャルも便利でいいけれど、やっぱりリアルがいい」と予想通り人々はリアルに戻ってきました。

また、コロナ禍では中止になったり、開催されても声出しNGだったミュージシャンのライブなどは、一つの会場に何万人も集まって大きな声を出して声援を送れるようになり、「リアルな体験の価値」の素晴らしさを再認識した人も多いのではないでしょうか。

そしてこのような状況下で、**「単にコロナ禍前と同じリアルな世界に戻るのではなくて、せっかくバーチャルメタバースが急激に発達したのだから、そこで培われたテクノロジーをリアルと融合してみよう！」**と、**「リアルメタバース」の世界は加速することになります。**

リアルメタバースを活用することで、人々の体験や都市の価値を高めることが可能となり、今までと違う形で街に人流を生み出すことができます。リアルメタバースはその街に新しい価値を提供し、街を活性化させるポテンシャルを秘めていると言えるのです。

リアルメタバースを支える位置情報特定技術〜VPS〜

リアルな活動を制限されたコロナ禍ではバーチャルな世界が注目されましたが、コロナが収束した時には、やっぱりリアルに人は戻ってきました。そこに技術的な発展も伴ったことにより、バーチャルが融合されてリアルメタバースの可能性が広がったという流れになりました。

このリアルメタバースが注目されたのは、位置を測位する関連技術が開発され、ビジネスやサービスに応用できるようになったからであり、その一つが位置情報特定技術であるVPS（Visual Positioning System）です。

『Pokémon GO』は、スマートフォンの位置情報を活用してリアルとバーチャルを融合させたエンターテインメントです。このようにARのコンテンツには位置情報が使われることがよくあるのですが、従来の位置情報特定の精度には限界があり、時にこちらが意図していない場所に仮想のオブジェクトが表示されてしまうことがあります。

これまで使われていた位置情報特定技術といえばGPSですが、人工衛星の電波から受け

©国土交通省「PLATEAU」ウェブサイト（https://www.mlit.go.jp/plateau/use-case/uc21-002/）

取った情報を基に位置情報を特定するため、ビルなどが多い都市部や、屋内など、衛星からの電波が阻害される場所では正確な位置情報を算出することができませんでした。

そのような課題を解決する新しい技術が、高い精度の位置情報を取得できるＶＰＳです。

映像を使って場所を認識するという意味から「ビジュアル・ポジショニング・システム」と呼ばれているこの技術は、カメラから取得した画像を使って「この画像でこの画角なら撮影者の場所はここだな」というように、現在の位置を特定するものです。したがって、ＧＰＳの衛星電波が阻害される場所でもかなり正確に位置情報を特定することができます。

ただし、位置を特定する方法としては、カメラから送られる画像をマッチングさせてどこから見たものかを特定するので、システム上にはその街の３Ｄマップが必要になります。システムにある3Dマップの中で同じ画角を探すことで、撮影場所を特定するのです。

これによって周囲にある建物の位置だったり、ユーザーがどこを向いているかまで位置情報を数センチ単位で取得することができ、非常に高い精度のAR体験がスマートフォンで可能になったのです。

そうなるとご想像の通り、圧倒的に競争優位な企業は、すでに世界中の3Dマップデータを持っているGoogleです。たとえば新宿の街なかでスマホのカメラを使ってビルを写すと、その写真の情報がサーバー上にあるGoogle Mapsと照合され、そのスマホを持っている人が新宿のどの地点にいるのかを特定することができます。それによって、スマホ上に映し出されるリアルなビルの上に、架空のキャラクターなどをぴったりと合わせて映し出すことができます。

このGoogleによる「現実の世界」と「仮想の空間」を紐(ひも)づける仕組みがGoogle Geospatial APIという技術です。

なお、この技術は2019年頃からGoogle Mapsに搭載されていた「ライブビュー機能」に使われており、Google Mapsでナビゲーション機能を使う際に、どちらに進めばいいかなどを判断するために用いられています。

Google Mapsを立ち上げて目的地を入れ、今自分がいる場所の周囲をカメラでスキャンすると、どちらに向かえばいいのか、実際の街の映像に矢印が重なって表示されて目的地までガイドしてくれるというサービスです。

同様のサービスはAppleも２０２０年にiOSとiPadOSに搭載したＡＲ機能であるARKit4に、ロケーションアンカーという名称でリリースし、『Pokémon GO』を開発したNianticもLightship VPSという名前で２０２２年にリリースしています。

もちろん日本でもこの手のソフトウェアを開発している会社がありますが、Googleが精緻なＶＰＳを開発し、しかも無料で開放したわけですから、ビジネスとしては厳しいかもしれません。

Googleもこの機能を無償でリリースしたのには大きな狙いがあり、これはGoogleが提供している過去のサービスの多くが無償で使えるのと同じ戦略があると推測します。

たとえば、**無償でGoogle Photosを使っている人のデータから「今年は赤い色の服を着た人が多い」ということがわかったりしますが、GoogleはこのＡＰＩを活用したユーザーのデータから、たとえばどういう属性の人がいつどこで何を見ているか、人流はどういう動きをしているか等の精緻な情報を得ることができたりするのです。**

ＶＰＳが出てくる以前のＡＲを使ったコンテンツは、先のＧＰＳ位置情報およびＡＲマーカーという現実世界にデジタルのコンテンツを重ねて表示させるための目印を利用して、位置を特定してＡＲコンテンツを表示していました。

一方、ＶＰＳを活用した場合はこのＡＲマーカーを使う必要がありません。ではＶＰＳ技術を活用した事例を紹介しておきましょう。

私の会社では２０２２年に渋谷のスクランブル交差点にコンテンツを重ねて表示することができる「渋谷スクランブルレイヤー」という仕組みを公開しました。このプロジェクトは、現実の渋谷の都市空間に対して、まるでデジタルのレイヤー（層）を重ねるかのようにＡＲやＭＲの配信を可能にした取り組みです。渋谷に遊びに来た人たちは実際にスクランブル交差点付近でスマホをかざすと、現実世界にぴったりと重なり合ったデジタルコンテンツによって、街の風景を一変させることができます。これは渋谷に行かないと見られないアートであり、その場所に行くことでしか味わえない特別な体験となります。

この「渋谷スクランブルレイヤー」は、ＡＲマーカーは使用せず、Google Geospatial APIを活用し、建物そのものをスキャニングして、自己位置を測定しています。これによって特にユーザーが位置合わせの操作をすることなく、見ている街の風景にＣＧがぴったり重なって表示されるように、自動で位置合わせが行われます。

ＧＰＳの場合は位置測定精度が高くないので、いつでも正確にグラフィックを現実の風景

「渋谷スクランブルレイヤー」を活用したプロジェクト「BŌSŌ SCRAMBLE」
Project partners:BŌSŌ TOKYO, MADWORLD, Animoca Brands KK
Creative director:afromance（Afro&Co./BŌSŌ TOKYO）

にマッピングすることが難しく、街中の誰でも見える位置にARマーカーを設置する必要があり、大きなビルや形状が複雑な建物が乱立する街なかでは現実的ではありません。

一方、VPSであれば、建物自体を位置検知のためのマーカーとして利用するので、ARマーカーが不要かつ高い精度で表現することができます。「渋谷スクランブルレイヤー」はこれらの技術でスマホをかざせばすぐさまコンテンツを表示させることを可能としました。

この技術を活用して構築された「渋谷スクランブルレイヤー」では、渋谷交差点上空の空間に無数のデジタルコンテンツを配信することができます。そして体験者は、それをテレビのチャンネルを切り替えるように楽しむことができるのです。

たとえば著名なアーティストが、渋谷の空間上に、別々のレイヤーごとに作品を複数作って配信したとします。アーティストのファンが渋谷に赴いてスマホやスマートグラスで交差点の上空を見上げると、そのアーティストの作ったアート空間を見ることができます。別の作品を見たければ、レイヤーを切り替えるだけで他の作品の世界観に変更することができるのです。そして、渋谷の空間に配信された作品は、ブロックチェーン上で管理することができるので、NFT等を使って売買が可能となり、ファンは好きなアーティストの作品を自由に購入することも可能となります。

なお、実際に「渋谷スクランブルレイヤー」のオープンニング時には、第一弾として約1ヵ月の間、NFTブランドであるBŌSŌ TOKYOと共に「BŌSŌ SCRAMBLE」というコラボレーション作品を展開し、スマホやスマートグラス越しに見ると、スクランブル交差点前の商業ビルが巨大なスロットマシーンに変わる体験型コンテンツを配信しました。交差点に展開されたアート作品も、現地で体験できるだけではなく、3DのNFTアートとして購買できるようにするなど、ユーザー参加型のイベントとして多くのファンが楽しみました。

視覚だけではないリアルメタバースの進化

スマートグラスなどのデバイスで入り込むことのできるリアルメタバースは、人間の「視覚」のハックにフォーカスされていますが、視覚以外の感覚についても研究開発が進んでおり、いくつかの技術は近い将来実用化されるでしょう。

特に嗅覚に関しては、かなり研究が進んでいます。

私は以前、「香りマーケティング協会」という団体の理事を務めていましたが、その時に縁があり東京大学でこの分野を開発している研究室にお邪魔したことがあります。そこでチョコレートの匂いを嗅ぎながら白いパンを食べるという経験をしました。

驚いたことに、チョコレートが入っていないにもかかわらず、チョコレートパンを食べている感覚になるのです。この技術が実用化されると、たとえば薄い味付けの病院食も、バーチャルでは味を強く感じることができて患者のストレス緩和等にも応用できるかもしれません。

また、触覚に関しても様々な研究開発が行われています。たとえば、形のない情報に触れるという「タンジブルユーザーインターフェース」を研究しているMITメディアラボ副所長の石井裕(ひろし)教授が有名です。これは、情報に物理的表現を与え、ユーザーが体を使って直接情報を操作できるようにすることで、コンピュータとインタラクティブに繋がることができるという研究です。一見するとアート作品のようですが、数値や文字の情報を伝える手段として、触覚と情報が結び付いた新しいインターフェースを構築しています。

その他にも、バーチャルな空間においてモノに触っていないのにあたかも触っているような感覚を再現する技術は「ハプティクス」と呼ばれ、研究が進められています。

これが実現すると、色々な産業において、高精度な遠隔操作であったり無人での操作が実現可能となります。ハプティクスは実は意外にも身近で、たとえばカーレースのテレビゲームで車が壁などにぶつかるとコントローラーが震えたりする仕掛けがありますが、これもハプティクス技術の一部が使われています。

そして、このハプティクス研究を第一線で行っているのが慶應義塾大学の「ハプティクス研究センター」で、力や振動、動きなどで力の感覚を伝える「リアルハプティクス」という技術を同研究所・大西公平センター長が発明し、研究が続けられています。

また、触覚に関してもう一つの事例をご紹介します。「空間ディスプレイ」といって空間にタッチパネルのような仮想のディスプレイを出現させる技術があるのですが、コロナ禍の時に銀行や駅のタッチパネルに触れずにボタンを押すことができる空間ディスプレイが注目されました。

しかし空間ディスプレイは、触れた時に触った感じだったり押した時に音が鳴ったりしないので、「押している」という感じがしません。ところが、この空間ディスプレイに「押している感じ」をつけられないかと研究開発している会社があります。その一社が東京の麻布や青山でフェラーリやロールス・ロイス等の超高級車を輸入販売しているコーンズ・モータースの関連会社であるコーンズテクノロジーです。

なぜ超高級車を扱う会社の関連企業が、空間ディスプレイの研究開発をしているのか？　それは、彼らが将来車の中にあるディスプレイは空間ディスプレイに変わると確信しているからです。

ここでは嗅覚と触覚しか取り上げませんでしたが、他の感覚の分野においても研究開発が進んでおり、メタバース分野と融合して現実の世界がより拡張できる時代が、近い将来に到来することは間違いないと考えています。

各社の技術はこれからどう進化していくか

先に述べたように、すでに実用化されている新しい技術や、これから実用化される技術などがありますが、様々なテクノロジーが開発進化していくことで、先端で研究している企業や研究者たちはこれからどこに向かうのでしょうか。

そこでまず、この分野で世界最先端を走っているGoogleとAppleの取り組みから分析してみましょう。

まずGoogleですが、この会社にはGoogle Mapsという世界で多くの人が使っているサービスがあります。Googleはこの Mapsで世界中の位置情報を保有しており、加えてGoogle Geospatial APIで、誰がどこにいるかを判定して捕捉することができます。

ただ、Googleは人が室内で何をしているかの情報に関しては他社と比べて優位ではなく、さらにセンサーを作っているわけではないので、部屋や建物の中のエリアビジネスはこれから広げていくと考えられます。たとえばGoogleが所有する膨大な都市データと組み合わせることで、ライフスタイル分野におけるバーチャルコンテンツやプラットフォームを作っていくでしょう。

その一方で、Appleはハードウェアを製造し、他社にOSをライセンスせずにユーザーを囲い込んできました。これらから収集される情報によって、多くのソフトウェアも独自開発しています。個人に紐づいた情報に強い会社ですから、個人にフォーカスした分野でビジネスを展開していくと考えられます。MacBookユーザーの多くがiPhoneも利用するように、Appleが提供するデバイスは一人のパーソナルな人間だけに紐づいていますから、個人に向けたバーチャル空間でのサービスやコンテンツを展開していくでしょう。

そしてここからがさらに面白い世界になってくると私が感じるポイントなのですが、「外」からリアルメタバースの世界を広げていこうとするGoogleと、「パーソナル」から広げていこうとしているAppleが、どこかで融合、または競合するポイントが生まれるはずです。

ＡＶＰを発表したAppleは、「パーソナル」分野では強いですが、外の情報を使ってどう活用するかの戦略はまだこれからだと推測します。

一方、似たようなデバイスをSamsungと組んで２０２４年2月にリリースを予定していたGoogleは、予想を上回るＡＶＰのクオリティの高さを見て（と推測しますが）、リリースを２０２５年に延期しています。技術の革新は半年ごとにアップデートされるような速度で動いていますから、おそらく２０２５年にリリースされるデバイスはＡＶＰと遜色ないものか、それをしのぐ製品が発表されるでしょう。

しかし、こうしてよりスペックが上がりつつ、軽量化もされてハードウェアが急速に進化していくと、問題になってくるのが「それを使って何をするのか？」という点になります。たとえるなら、非常に高性能なパソコンを持っていても、それで「マインスイーパー」だけをやっていたらあまり意味がありませんよね。

ですから、**ハードウェアやプラットフォームが整備された時に、何をするのか、どんなコンテンツを作って人に使ってもらうのか？　ここが勝負になるのです。**

次の章では、「空間コンピューティング」時代の幕を開けたデバイス、ＡＶＰについてより深く掘り下げていきます。

第 2 章

世界の常識が変わる Apple Vision Proの可能性

Apple Vision Pro は何がそんなにすごいのか？

序章で軽く触れましたが、２０２４年2月にＡＶＰがアメリカで先行発売されました。今までの Apple の新製品発売と同じように、米国各地の Apple Store では恒例のカウントダウンが行われ、待望の発売に Apple ファンが盛り上がりを見せ、ＳＮＳではＡＶＰを身につける動画などが多く投稿されました。YouTube でも多くのユーザーが使用感のレビューを伝えていたり、その可能性について語ったりしています。

繰り返しになりますが、「このデバイスの何がすごいのかを知らなければ、従来のＶＲゴーグルのようなヘッドセットを Apple がスタイリッシュなデザインでリリースしただけ」と思われてしまうでしょう。

私は発売直後にＡＶＰを入手することができたのでほぼ毎日利用しているのですが、何がすごいかというと、まずはその解像度、そして予想を遥かに超える映像の美しさです。

私は今まで発売されているＨＭＤは、仕事と趣味を通じてほぼ全ての種類を使ったことがあるのですが、それらに共通する不満な点があります。それは、程度の差はありますが「画質の低さ」です。

この画質というのはこの手のデバイスでは非常に重要で、ＶＲ空間を見る時もそうですが、バーチャルとリアルを融合させたＭＲ空間を見る時に顕著に差が出ます。

ＡＶＰと同じ方式のＨＭＤは、装着しているユーザーの見えている景色を撮影し、その映像を内側のディスプレイに投影します（ビデオシースルー方式と言います）。よってユーザーは、裸眼で目の前の景色を見ているのではなく、デバイスが撮影している映像を見ているということになります。

この映像が裸眼で見ているよりも解像度が低いと、現実とのギャップに違和感を覚え、実際の景色を見ているにもかかわらず平面的で、明らかにモニターに映し出されているようなチープな景色を見ているような感覚になります。つまり、現実を映し出す映像と融合させるバーチャルの映像が全く融合せず、浮いてしまうため、リアリティがありません。

一方のＡＶＰですが、私は装着した時に思わず驚きの声を上げてしまいました。目の前に広がる現実の世界が、バーチャルな３Ｄオブジェクトと違和感なく融合していて、「本当にそこにあるよ！」と叫んでしまったほどです。ここに私はAppleの本気を感じました。

調べによると、ＡＶＰには超小型の有機ＥＬディスプレイが搭載されており、片目あたりで３８００×３０００という超高解像度で、４Ｋテレビよりも解像度が高いスペックです。過去にMeta（元Facebook）が出したMeta Quest 3が２０６４×２２０８、Meta Quest

Proが1832×1920なので、これと比較しても圧倒的に高い解像度であることがわかります。

現段階では3499ドル（日本円で約55万円）～と、やや高額なこのデバイスは、視界の臨場感や操作性を高めるために様々な最先端の技術が詰め込まれています。

まず、ユーザーの両目にそれぞれ2つのセンサーがついており、黒目と白目を検知することで視線を追跡することができるようになっていて、瞳孔を検知してその人が何を見ているのかをリアルタイムに判別するアイトラッキングを自然に行うことができます。つまり視線が従来マウスで動かしていたポインターの代わりになるのです。

そして映像の処理にはMacBookなどに搭載されている高性能のARMアーキテクチャチップであるM2チップと、このAVPのために開発されたR1チップが搭載されており、これらを使って膨大なデータを迅速に処理することが可能になっています。

また、このデバイスにはパソコンのようなマウスやキーボードがありません。その代わりに視線を使ってポインターを動かしたり、人さし指と親指を空中で動かして目の前に浮かぶアイコンや画面を操作したり、空中に浮かんでいる仮想のキーボードを押したりすることができます。

このような動きを実現するために、ユーザーの目の動きや手の動きを正確に捉えるのに必要な12個のカメラと5つのセンサー、6つのマイクが搭載されています。もし、これらのカメラやセンサーが収集したデータの処理速度が遅いと、ユーザーの実際の動きと、ユーザーが見ている映像にズレが生じて、いわゆる「VR酔い」を引き起こしてしまいます。しかしAVPのデータ処理能力はこの差を0・012秒以内に抑えており（人間の瞬きは約0・3秒）、いかに処理速度が速いかがわかります。これにより見えている世界が違和感なく描画されるのです。これが、多くのユーザーが「圧倒的に美しい映像で長時間つけていたい」と口を揃（そろ）える理由です。

さて、なぜAppleは解像度と操作性にここまでこだわってこの製品をリリースしたのでしょうか？　それには明確な答えがあります。

Appleは、過去に発売されたiPod、iPhoneそしてApple Watchのように、このAVP

も将来的には「生活および仕事におけるどんなシーンでもずっと装着している」姿を現実のものとしようとしているからです。

そのために大切なのがノーストレスであることであり、だから画質や操作性に徹底的にこだわり、現在進行形でこれらの機能をまだまだブラッシュアップしているのであろうと考えます。

iPhone が出た時、パッケージの中に取扱説明書が入っていないことに驚いた人が多いかもしれません。それまで携帯電話は取扱説明書を片手に操作を必死に覚えていましたが、iPhone は子どもでもお年寄りでも取扱説明書なしで簡単に操作することができてしまいます。Apple はプロダクトをデザインする上で、人間が直感的に理解できる感覚まで計算し尽くして製品を作り上げる会社ですが、今回のＡＶＰもその片鱗を十分すぎるほど感じることができます。

そして Apple は、このＡＶＰの発売を通して、単なる従来のＶＲグラスとは一線を画した、「空間コンピューティング（Spatial Computing）」という言葉と共に、このデバイスを通した新しい生活、新しい娯楽、新しい世界を提案しているのです。

本当にそんなデバイスを身につけて生活をするのか？

前項でＡＶＰがいかにすごいかについて触れましたが、まだまだ改良する点はいくつもあります。一つは重さで、ＡＶＰの重さは約６００グラムあります。５００mlのペットボトルよりも少し重いというイメージです。またバッテリーパックは約３５０グラムあり、ＡＶＰ本体に内蔵されておらず有線で繋がっています。そのバッテリーですが、ハイスペックなグラフィックボードやＣＰＵを動かしていることもあり、まだ2時間程度しか持たないのが現状です。

つまり現状のＡＶＰのスペックは、最初の携帯電話と言われている「ショルダーフォン」状態と言っていいかもしれません（若い方にはショルダーフォンと言われてもわからないですよね。芸人の平野ノラさんの持ちネタ「しもしも〜」で使っているあれと言えばイメージできるかもしれません）。

まだまだこのような課題もあり、スペック的にも改良の余地があるデバイスですが、こういう話になると人はよく、

「面倒臭い、そんなグラスを日常的にかけるわけがない」

「どうせ一部の物好きな人だけが使うものだ」

と言いがちです。

しかし、よく考えてみてください。スマートフォンだって、最初は一部のアーリーアダプターが騒いでいて、多くの人は、

「そんな色々な機能がついた携帯電話なんて要らない」

「電話は通話さえできればいい」

と言っていたのが、いつの間にか誰もがこのデバイスでメールをしたり検索したり、地図を使って目的地まで行ったりしています。スマートフォンは生活の一部と言っても過言ではないでしょう。

これと同じように、今までＶＲゴーグルのようなデバイスは、一部のオタクがゲームをするために使うとか仮想の世界に没入するために装着するものから、日常生活で当たり前に身につけるものへと変わっていきます。

パラダイムシフトというのは、過去の現象を振り返ってみると、気づけば世の中にあっという間に浸透するものです。

もしタイムマシーンがあって、ＣＤが市販化され始めた１９８０年頃にタイムスリップし、音楽好きの人を捕まえて、

「2020年になると、音楽はCDなんかで聴かないで、月定額のサブスクリプションという方式で、コンピュータセンターにある音源にアクセスして聴くようになるんですよ。CDを再生するプレイヤーを持っている人はほとんどいなくなります」

と言ったとしても、

「こいつ何訳わからないこと言ってるんだ」

と言われるでしょう。

それと同じように、2024年に生きているみなさんに、

「これから10年以内にスマホがなくなって、スマホの液晶画面は日常生活の空間に投影されて、スマートグラスを通して人とコミュニケーションを取ったり仕事をするんですよ」

と説明しても今ひとつピンとこなかったり、何やら胡散臭いことを言われているように感じるかもしれません。

ですが近い将来、スマホがなくなり、AVPのような次世代デバイスを誰もが身につけて生活し、仕事をする世界が確実に到来します。

Appleの戦略的民主化

なぜＡＶＰがこの先誰もが身につけるデバイスになると思うのか？　それはAppleによる「新しいデバイスの民主化」の実績にあります。

たとえば、Apple Watchを例にお話ししますと、リリースされる数年前からいわゆるスマートウォッチのような製品はFitbitを中心に各社がリリースしていました。当初そのスマートウォッチは、腕に装着してメールの受信を知らせてくれたり、歩いたり走ったりした距離がわかったりするというデバイスと認識されていました。

その後Apple Watchが出てきて、この手のデバイスが一気に普及するのですが、Appleが上手いのは、このデバイスを「日常身につけている健康器具」に落とし込んだ点です。つまり自社の製品を人々のライフスタイルに溶け込ませたことです。

これはApple Watchに始まったことではなく、iMacしかり、iPodしかり、iPhoneの時も同じで、最初はアーリーアダプターや一部のオタクが喜んで使っていたものが、世の中に普及した絶妙のタイミングで新しい製品を出す。Appleには常に自分たちのプロダクトを民衆のライフスタイルの一部になじませるというビジョンがあるので、そういうタイミングで製品を出すことを戦略的に行っています。

今回のＡＶＰもまたしかりで、OculusやPico、Metaをはじめとする会社がＸＲに関連した製品を色々と発売し、市場が成熟し始め、ＸＲのことが少しずつ人々に理解されたタイミングで、より民衆に落とし込めるビジョンを示し、このプロダクトをリリースしたのです。

ＡＶＰは、そのデザインの美しさはもちろんのこと、誰でも感覚的かつ簡単に使えるような設計になっています。視線でマウスを操作するかのようなことが可能なアイトラッキングや、親指と人さし指を空間で操作するハンドトラッキングも、少し手や目の動きとズレただけで気持ち悪さや使いづらさを感じてしまいます。

しかしＡＶＰではその気持ち悪さが全くありません。私は初めてこのデバイスに触れて体験した時に、Apple はこの使いやすさ、操作性に徹底的にこだわって本気で空間コンピューティングを〝民主化〟しようとしているんだなと感じました。

Meta は「あなたのいる家をバーチャルな遊び場に」というコンセプトのもとで展開していましたが、Apple は以前一部の人間のものだったコンピュータを、どの家のリビングにも置けるよう機能やデザインを設計した iMac をリリースしたように、ＡＶＰを一部のゲーマーなどに向けたものではなく、日常生活で誰もが使えるような製品として開発、デザインしてリリースしました（まだ誰もが使える価格設定ではないですが）。

そして以前、iPhone が一気に普及したのと同じように、ＡＶＰを使った「空間コンピューティング」の世界を一気に広めようとしているのです。

そしてこの**空間コンピューティングの世界が普及すると、私たちのビジネスや生活にバー**

チャルの新しい空間が生み出されていきます。iPhone が普及した時に、様々な会社がアプリを開発してビジネスを広げていったように、このバーチャル空間上に様々なプロダクト、サービス、コンテンツを展開するビジネスが加速していくこととなります。

次章では、Apple が提唱している「空間コンピューティング」について詳しく解説します。

第３章

空間コンピューティングとは

人類の進化の目的は「制約からの解放」

人類の歴史を紐解くと、今まで人間は情報を送受信するための手段として、会話から文字、そして手紙から音声、動画からネットを介して行い、その結果、それぞれで大きな産業が生まれました。人類は今まで科学技術を進化させて、多数の産業を生み出し、そこから色々なサービスやプロダクトを生み出してきたのです。

それらのサービスおよびプロダクトの多くには共通する点があります。それが「制約からの解放」です。

周囲のサービスやプロダクトを見れば自明なのですが、**イノベーティブな製品やサービスは人々の制約からくる不満の解決を実現しています。**

「空を飛んで移動したい（人は飛べないという制約からの解放→飛行機が誕生）」

「馬よりももっと速く走りたい（人は馬より速くは走れないという制約からの解放→自動車が誕生）」

「どこからでも場所を気にしないで電話したい（電話は音を電話線に伝送するための

つまり、**人類の進化というのは「制約という不満をいかに減らして快適に人生を送れるか?」という問いに対して発明を繰り返してきたと言い換えることができるでしょう。**

制約をいかに減らすかというのは、スマホを例にするとイメージしやすいかもしれません。デジタルネイティブ以降の読者ですと今ひとつピンとこないと思いますが、スマホの誕生により、カメラを持つ必要がなくなり、写真もすぐ友達と共有できるようになって、ソファーでゴロゴロしながら友達と繋がることも、作った料理を動画とレシピと一緒にInstagramにアップして、美味(おい)しさ自慢をすることも可能になりました。

写真を例にとって、スマホが誕生する前、デジタルカメラの前のフィルムカメラの時代はどうだったのかを振り返ってみます。

まずフィルムを買いに行きます。しかもこのフィルムは12～36枚撮りで、12枚用のフィルムだとシャッターチャンスはたった12回です。ですからたくさん撮りたければフィルムを多く買う必要がありました。そしてフィルムをカメラに入れて撮影します。撮影が終わると、そのフィルムを写真屋さんに持ち込んで現像、焼付、引き伸ばしというＤＰＥ作業をしてもらいます。そしてその工程が終わると完成した写真を取りに行き、お金を払ってそこで初めてプリントされた写真を見ることができます。

友達とシェアするのはさらに大変でした。写真をアルバムに入れ友達に回覧します。友達が欲しがる写真があれば、写真屋さんにフィルムを持ち込んで「焼き増し」という工程をお願いします。写真のコピーですね。そして費用を払って完成したら友達にシェアします。

いかがですか？　すぐ気づく範囲でも「時間的な制約」「空間的な制約」「精神的な制約」「経済的な制約」がたくさんありますよね。

しかしスマホの登場で、これらの制約は一気に解消されました。これがテクノロジーが進化する恩恵を人間が受けられる一例です。

そしてこの**「制約からの解放」というのは技術の進化と共に、より快適により便利に、よりノーストレスにというベクトルで動き続けているものです。**

たとえば映像文化に目を向けてみると、映画が誕生する前は人間が舞台で演じている劇場に足を運ぶ必要がありました。演目や場所、時間も限定的でした。

ところが映画が誕生して映画館が街のあちこちにできるようになると、自分の空いている時間に、好きな映画を選んで鑑賞することができるようになりました。しかしまだ映画館でないと映像は見られない時代です。

そこからテレビが誕生し、映画館に行かずとも家で映像を楽しむことが可能になり、放送の時刻に合わせて番組を鑑賞することが可能になりました。しかしその時間でないと該当の番組は観ることができません。そこで登場したのがビデオデッキです。

このデバイスの登場により、ビデオテープに番組を録画することが可能になって、自分の好きな時間に番組を観ることができるようになりました。しかし部屋にいないと映像を楽しむことができません。

やがてインターネット回線が高速になり、オンデマンドの普及によって、いつでも、どこにいても好きなコンテンツを楽しむことができるようになったのです。

このように**人類は、技術の進化と共にストレスフルな制約から解放され、快適な生活を追求し続けてきました。そして人類は「空間コンピューティング」の登場で、さらにまた制約から解放されるステージへと辿り着いたのです。**

「空間コンピューティング」の世界とは

なじみのない方が多いかもしれませんが、実は以前から「空間コンピューティング」という言葉そのものは存在していました。私たちが今使っているスマホしかりパソコンしかり、共通しているのが、「ディスプレイ」の存在です。私たちは普段、このディスプレイを見なから情報を出力したり入力したりしています。「空間がコンピュータになる」ということの言葉からイメージされることは、「空間がディスプレイになる」や「空間がメディアになる」といったニュアンスの捉えられ方でした。

ただ、明確な定義があったわけではなく、仮に数年前に私が「空間コンピューティングの世界って何？」と問われれば、「それはメタバースだ！」と答えていたことでしょう。なぜならメタバースは、「空間がディスプレイになり、メディアになる」という説明をする際にはぴったりの言葉だったからです。そして「空間コンピュータとはどんなデバイスなの？」と問われたら、「それはVRゴーグルのことである！」と疑いなく回答していたと思います。それくらい、当時、空間のディスプレイ化やメディア化という考え方は浸透しておらず、「これだ！」と思えるハードウェアやサービスが登場していたわけでもありませんでした。

しかし、２０２４年2月のＡＶＰの発売によって、大きく認識が変わりました。

私は、**メタバースは空間を表示装置にすること、そして空間コンピューティングは言葉通り、空間をコンピュータにする、つまり空間が機能になり、空間に機能を持たせること**、だと捉えるようになりました。

もう少しわかりやすく説明していきます。第1章で説明したように、空間コンピューティングは「メタバース」の延長の技術と知識の上に成り立ってはいるのですが、Appleが提唱している「空間コンピューティング」は、これまでの「メタバース」と同じ、というわけではないのです。

皆さんが想像するメタバースは、作られた3DCG空間に対して人体ではなくアバターとして没入し、現実とは別の「あちらの世界」で、様々な体験をすることができる世界のことを指していると思います。それは現実とは全く別の人格で活動することも可能にし、そこがメタバースの魅力でもあります。

一方、空間コンピューティングは「こちらの世界」、つまり現実の世界を3DCGの関連技術で拡張して楽しく便利な空間を作っていくことであり、あくまでも現実の世界に軸足があるのです。このように、**「メタバースは『あちらの世界が軸』、空間コンピューティングは『こちらの世界が軸』」**という比較だとイメージしやすいと思います。

メタバースが作り出す世界観と空間コンピューティングが作り出す世界観が同じと考えてしまうと、Appleが提唱している空間コンピューティングは説明がつかなくなってしまうので、本書では、軸足はあくまでも現実で、仮想の技術を使って現実を拡張することが空間コンピューティングである、と説明します。

これは各社の開発思想にも大きく反映されています。仮に、メタバースをMeta、空間コンピューティングをAppleとして比較すると、Appleの提唱している空間コンピューティングというのはこのMetaが定義しているものとは違い、**「生活の中の空間が、全てコンピュータの出入り口になっている」**というニュアンスでこの言葉を使っています。

生活空間がコンピュータの出入り口と言われても、何のことやら意味不明ですので詳しく説明します。

幸か不幸か、人間はマウスとキーボードを作ってしまったがゆえに、「指でインプットする」という方法から長い期間逃れられていない状態です。

もちろん最近は音声入力もかなりクオリティが上がってきたので、声で入力することも増えていますが、仕事でもプライベートでもパソコンのキーボードやマウスを用いるか、スマートフォンの液晶パネルをフリックして入力することが大半です。別の言い方をすれば私たち人間は、まだパソコンのモニターやスマホの液晶画面から離れることができないでいるのです。

私たちがインターネットを使ってデータを入力したり出力したりする場合、パソコンならば机に座ってパソコンを立ち上げ、スマホならばポケットから手でスマホを取り出して起動するという行為が必須でした。

しかし、ＡＶＰが提供する空間コンピューティングの世界においては、データの入出力にわざわざデバイスを出して作業をする必要がありません。マウスやキーボード、液晶パネルのような入力装置が存在しないのです。

また、ＡＶＰには非常に高性能なセンサーがついており、人間の指や視線の動きに反応し、たとえば今まで手を使ってマウスで動かしていたポインターを目の動きで動かせる「視覚入力」が可能になりました。

人間はついに、小さな液晶パネルからも解放され、塞がっていた両手も解放され、より「人間の体に寄り添ったインターフェース」を手に入れることができるのです。

そして空間に浮かび上がる画面を無数に使うことができ、映画を観る画面、仕事をする画面、プライベートで調べ物をする画面など、空間に浮かぶ画面を自由に使え、スムーズに切り替えることもできます。視界を３６０度ドーム状に覆うことも可能ですし、もちろん煩わしい時は全て消すことができます。そのデバイス越しから現実世界を裸眼状態のように見ることも可能です。

今まで情報のインプットやアウトプットは、パソコンやスマホをいちいち取り出して操作する必要がありましたが、ＡＶＰのようなデバイスがもっと進化して、今よりも軽くて便利になったら、「使う時だけ身につける」のではなく、「寝る時以外はずっと身につけて生活したほうが圧倒的に便利で楽しい」という世界が到来します。

そういうデバイスを身につける新しいライフスタイルを提案しているのが、Appleが提案している「空間コンピューティング」なのです。

そしてこれからは、**空間を送受信する「空間メディア産業」が生まれ、大きなマーケットを創造していくことになるでしょう。**

空間コンピューティングの世界は、現実の世界にバーチャルの世界を映し出して溶け込ませるのが特徴ですが、この技術は70ページでご紹介した、ＶＰＳなどの技術を組み合わせたものです。ですから、「何だかとんでもない大発明をした！」というよりも、繰り返しになりますが、メタバースの文脈において技術と知識を積み上げて完成されたものなのです。

この空間コンピューティングという発想が面白いと感じるのは、単にＡＶＰを使って「現実の世界に仮想世界を重ねて生活や仕事を快適にしましょう」と提案している点ではなく、Appleがこのデバイスを「特別な時だけに使うのではなくiPhoneのように日常的に使用する生活の一部にしませんか？」と提案している点で、ここに私は大きな可能性を感じているのです。

２０２４年現在の段階では、先述した通りまだ重さやバッテリーの持ち時間等の事情で、これを装着したままずっと生活するというのは現実的ではありませんが、世界中の企業が兆円単位で研究開発を続けているので、近い将来このデバイスは、人間が日常生活でずっと身につけていても何ら違和感がないスペックまで進化することは間違いありません（まるでみなさんが身につけている眼鏡のようにです。だって、あの肩掛け型だった移動電話が今やみなさんのポケットに入っているのですから)。

新しい「感覚器」を手に入れる

私は、AVPを装着して操作していた時にまるで自分が新しい「感覚器」を手に入れたような感覚を持ちました。普段生活していて、我々が「当たり前」と思っていることは、実は「当たり前」ではないことが多々あります。

視覚を例にとって説明すると、人間に見えているものというのは、目と脳の感覚器が得ているものにすぎません。

たとえば私の目の前に見えている「赤色」というのは、私以外の全員の人間が私が見ている赤色と全く同じ赤色を見ているとは断言できません。実際に女性と男性では、一般的に色彩の感じ方が違うと言われています。女性は世界を暖かい色で感じ、男性に比べて異なる濃淡の赤を区別することができるそうです。

男性は一方、コントラストがはっきりしないもの、動きが速いものをより区別することができるという説もあります。つまり我々に見えているものは、「人間が生まれ持って得た感覚器を通して得たものでしかない」ということです。

高度なテクノロジーで生み出された空間コンピューティングの世界というのは、これを使って今まで私たちの持っていた感覚では感じられなかったことを感じられるようになる世界です。

人間と比べて視力が低い虫がいるとして、でもその虫は私たちにはない感覚を持っているとします。つまりその虫にとって、目は見えにくいが私たちには感じられない何かを感じることで、日常の活動を可能としているのです。

「虫の感覚を得られる機械」と言ってしまうとおとぎ話の魔法のように感じてしまうかもしれませんが、もっと身近な事例で説明すると、昔は音楽という娯楽は演奏会に行かないと聴くことができませんでした。しかしそこから録音できる機械が誕生して、レコードという媒体で家でも音楽が聴けるようになりました。

今まで家で聴けなかった音楽を家で聴くことが可能になったのは、そういった記録する感覚器とそれをいつでも再生する感覚器が発明されたからです。そこから色々なアーティストがこの感覚器を使って様々な音楽活動を行うことが可能となり、さらには聴くだけではなく、ライブ会場に行かずとも、映像化されたものを家やスマホなどでどこでも見られるようになりました。

本書で語る「空間コンピューティングによる新しい世界」というのはつまり、今まで私たちが感じられなかったことを体験するための機械であり、新しい感覚器が手に入るという風に私は理解しています。

つまり、そのテクノロジーや機械を通じて、我々はできることや感じることが増えて、「現実だけの世界ではできなかったことができるようになる」世界を発明したということです。ですからただ単に新しい高度な「おもちゃ」が発明されたという話ではありません。人間の生活の根本に影響する、「新しい感覚器が一つ増える」という感覚器の革命が到来するということでもあるのです。

そして、おそらくそこから先は想像の域を超えませんが、人間にチップを埋め込んだり脳波を使ったりして、たとえば頭で「今日の仕事のToDoをリスト化して」と考えただけでコンピュータが勝手にそれをやってくれる、そんな時代がやってくるかもしれません（それが現実化されるのはまだ先の話で次の世代の人たちに期待したいと思います）。

少々話が脱線しましたが、ＡＶＰの登場であったり世界中の企業がすごいスピードでこの分野に力を入れており、どの会社がこの世界の主導権を握るのかと日々しのぎを削っています。ですから、空間コンピューティングに注目し、自分の仕事や生活にどう影響をもたらすのかを考え、何らかの形で早くから関わることは、これからを楽しく快適に生きる上で必要不可欠になってくると思います。それくらい大きな変革なんだと理解してもらえるといいなと思います。

「空間を送受信する」時代の到来

ＶＲや仮想現実と聞くと、オンライン上で自分の分身であるアバターのようなキャラクターが仮想の空間で色々なイベントを経験したり、他のアバターたちと交流するようなゲームの世界観を思い浮かべる方が多いかもしれません。

そのような仮想空間においては、自分のコンプレックスやトラウマなどを外すことができて、動物になれたり異性になれたり、中年男性でも若い女性アイドルになることができたりします。さらには、その世界でしか通じない通貨を使って経済活動ができたり、将来的にはその仮想空間で暮らすことができるのではないか、というのがよく言われているバーチャルメタバース（インターネット上の仮想空間）の世界です。

しかし、私が注目しており、**これから爆発的にマーケットが広がると確信しているのは、このような仮想空間の話ではなく、今我々が生活している「リアルな世界を拡張」し、もっと快適でもっと楽しくもっと便利になるような「空間を送受信する世界」です。言い換える**

と、このリアルな世界とバーチャルな世界をハイブリッド化した世界という表現が近いかもしれません。

「空間を送受信する」と言われても、何のことかよくわからないかもしれません。

人類は今まで科学技術を駆使して、カメラという写真を撮影できるデバイスを作り、次に動画を撮れるビデオカメラを発明しました。そして携帯電話やスマートフォンでも動画を撮れる時代が到来し、YouTubeの出現で誰もが簡単に自分で撮影した動画を世界中の人に配信できる時代になり、動画を投稿して楽しんでもらう文化があっという間に広まりました。

写真も動画も平面的なものですが、私たちの目の前に広がる世界というのは、縦横に加えて奥行きがあり立体的です。空間コンピューティングの時代になると、3Dの技術を使ってこの空間を送受信することができるようになります。

「誰でも空間を自由に送ったり受け取ったりすることができる」、これをもう少し噛(か)み砕いて説明します。

インターネット初期の頃、一般の人がWEBサイトを作成する場合は、HTML(Hyper Text Markup Language)やCSS(Cascading Style Sheets)という言語を学ぶ必要がありました。

しかしその後、誰でも簡単にWEBサイトが作れる様々なソフトが開発されたり、ブログやWordPressのようなＣＭＳ（Contents Management System）などの登場で、プログラミング言語を学ばずとも誰でも簡単にＷＥＢサイト等を作ることができるようになりました。

動画も同じように、一般の人が動画を撮影して編集し、それを世界中の誰もが見られるようにすることが大変だった時代から、通信回線の速度が上がったことに加えてYouTubeやTikTok等の便利なプラットフォームの登場で、誰でも簡単に動画を投稿して世界中の人にシェアすることが可能になりました。

そしてこれからの時代は、自分で思い思いの空間を作り、それを配信したり他の人が作った空間を見て楽しむことが可能な時代になります。そういう時代になると、YouTubeが爆発的に広がった時のように、空間コンピューティングによって新たな産業が生まれ、この現実世界のリアルな空間をもっと楽しくするためのツールが開発されるようになります。

空間を送受信するというのはどういうことか、ここでたとえばバースデーのメッセージを誰かに送る例を出して説明しましょう。

大切な人の誕生日にメッセージを送る時、以前は手紙や封書で「誕生日おめでとう」と書いて郵便で送ったりしていました。それからメールが普及した時代になると、パソコンを使いメールでメッセージを送るようになり、携帯電話やスマートフォンが登場してからはショートメールやＬＩＮＥなどでメッセージを送るようになりました。そして文字で伝えていた

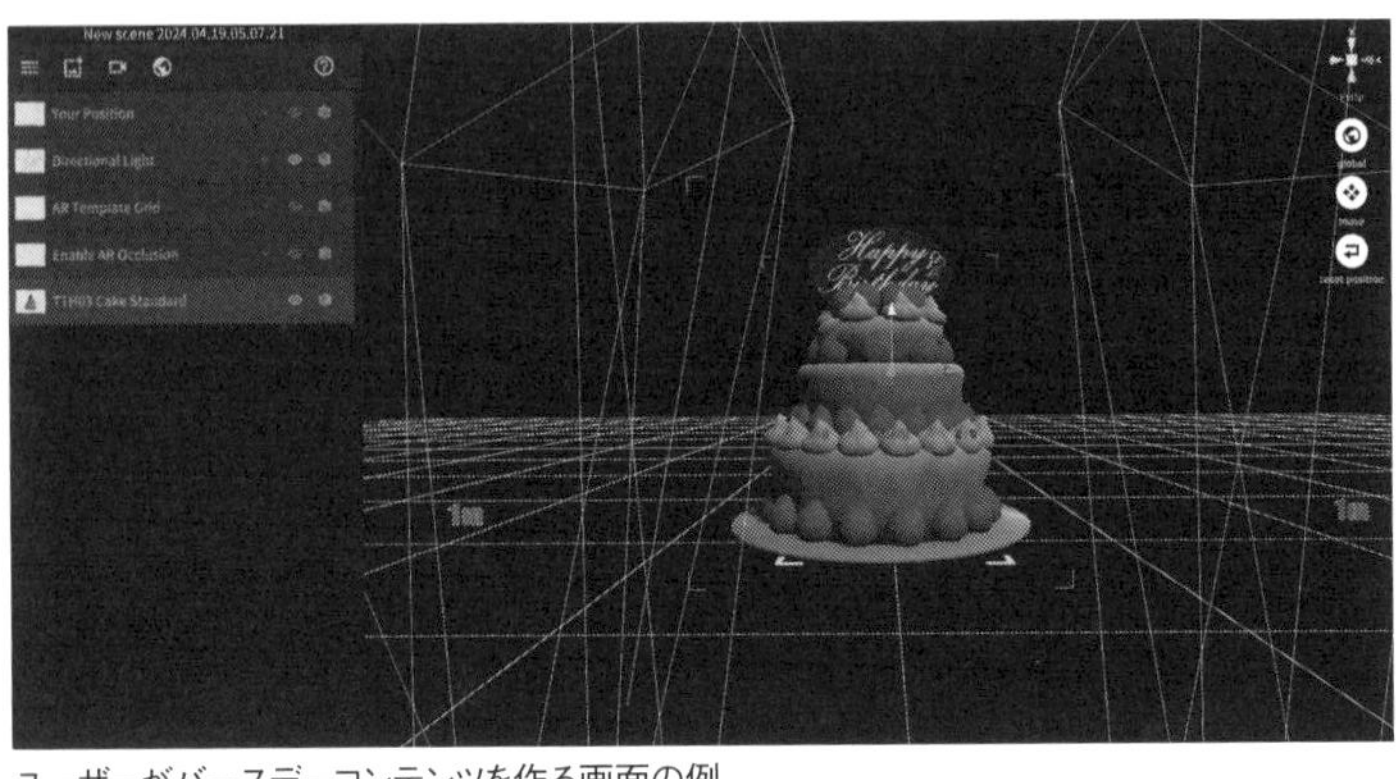

ユーザーがバースデーコンテンツを作る画面の例

時代から、写真や動画を使って相手への気持ちを伝える時代へと進化していきました。

そしてこの先、空間を作って送ることができる時代になると、友人からのメッセージを受け取った時、「自分の目の前に立体のデコレーションケーキが出現し、ろうそくを吹き消すとHAPPY BIRTHDAYという文字が音楽と共に浮かび上がる」みたいなことが可能になります。

またたとえば、誕生日を迎える友人にカメラに向かって「おめでとう！」と言いながら撮影し、そのデータを相手に送ると、受け取った相手は、自分の目の前に立体で送信者が現れて、本当に目の前で「おめでとう！」と言ってくれているような演出が可能になります。

私の会社では誰でも簡単にこのような空間コンテンツを制作できる「STYLY STUDIO」や、その空間コ

制作したコンテンツを受け取った側が見られる実際の空間

ンテンツを投稿し再生したり他の人の作品を見ることができる「STYLY GALLERY」という無料のアプリケーションを提供しています。写真を加工したり動画を編集するアプリが今無数にリリースされているように、これから先は空間コンテンツの制作アプリや空間コンテンツの再生アプリが次々にリリースされていくでしょう。

空間を送受信できるようになることで変わるのは、エンターテインメントの世界だけではなく、ビジネスのあらゆる場面でも応用されていくことが考えられます。

コロナ禍で従来リアルに会議室に集まって開催されていた会議が、当たり前のようにZoomやMicrosoft Teamsを使って開催されるようになりました。そして、空間を送受信できる時代は、会議に参加するメンバーも今のオンライン会議のようにモニター越しに平面的に映るのではなく、本当に目の前にいるかのように立体的に出現し、実際に会議室に集まって話しているのと何ら変わらない会議を当たり前に開くようになります。

オンラインで開催するスタイルの会議が普及して、とても便利にはなりましたが、

「やっぱり実際に会って話さないと、阿吽（あうん）の呼吸がわからない」

「直接対峙（たいじ）して会話をしないと、相手の本音が伝わってこない」

と感じた人も少なくないでしょう。

しかし空間を送受信できる時代になれば、空間の持つ雰囲気まで共有することが可能になり、本当に目の前にその人がいるような状況を作り出すことができるようになるので、相手の細かい表情やしぐさなども実際に会って話しているのと同じ感覚で体感することが可能になります。

あらゆる空間を身にまとう時代に

文字を送受信できる時代から静止画や動画を送受信できる時代へ。そして今度は「空間を送受信できる」時代へと進化していく。そしてその時代になると「あらゆる空間を身にまとう」ことが可能になってきます。

空間コンピューティングの世界が普及すると、現実とバーチャルが重なり合う世界を作り出すことが可能になりますが、たとえるなら透明なフィルムを何枚も重ねて一つの絵を作り出すかのように、リアルな空間にいくつものバーチャルな空間を重ねることが可能になります。

リアルな空間に重ねることができるバーチャルな空間のことを、私は「空間レイヤー」と呼んでいて、この空間レイヤーが多数重なっている状態のことを「多重構造レイヤー」と呼んでいます。これが「あらゆる空間を身にまとっている」状態です。

レイヤー（Layer）とは「層」の意味で、地面をスパッと切って断面を見ると様々な土が折り重なっているようなイメージです。つまり、空間上に色々な種類の「層」を作り、それらを身にまとうことが可能になります。

Adobeが開発したグラフィックを制作するIllustratorや写真を加工編集するPhotoshopなどのソフトウエアを使ったことがある方なら、この「レイヤー」という概念はわかりやすいかもしれません。

これらのソフトは、「レイヤー」という機能で、一つの画像を、たとえば「文字のレイヤー」「背景のレイヤー」「人物のレイヤー」という風に分けて制作・編集することが可能になっています。

Illustratorのレイヤーのイメージ

文字を集中して編集したければ、背景や人物を一時的に消して作業することができますし、全てのレイヤーを重ねることで、その画像の全体像を見ることも可能です。また、背景が不要だと思ったら、背景のレイヤーだけを簡単に消すこともできます。

レイヤーを使わず、一枚の紙に文字と背景と人物が描かれていたとすると、背景の一部を消したいのに、間違って人物の一部を消してしまったり、文字の位置をずらしたい時に背景の一部が邪魔になる、といった状態になり作業がしにくくなります。

しかし、機能や特徴ごとに「レイヤー」で分けておけば、特定のレイヤーだけを表示したり、見たい複数のレイヤーだけ表示させたり、時には全てを消したりすることも可能です。

空間コンピューティングの時代になると、私たちが生

きているこの現実の世界に、デジタルで作った空間レイヤーを折り重ねていくことが可能になります。そして、現実の世界に無数の空間レイヤーを重ねることで、新しいエンターテインメントやビジネスが可能になる世界が生まれます。

もう少し具体的に説明しましょう。世の中に現実の渋谷という場所は一つしか存在しません。しかし、空間コンピューティングの世界に入ることができるデバイスを身につけると、現実世界の渋谷に様々なレイヤーを重ねることが可能になります。

たとえば、あなたがそのデバイスを身につけて渋谷を訪れたとしましょう。久しぶりの渋谷なのに、あいにくの曇り空です。でもレイヤーを切り替えれば、曇天も雲一つない空に変えて気分を上げることもできます。またレイヤーに決済機能を持たせれば、コンビニ等での買い物で、わざわざ財布やスマホを取り出すことなく買い物をすることが可能になります。「クーポンレイヤー」を表示させると、今渋谷の街でお得な買い物などができる情報が表示されたりします。

あなたが海外のハイブランド好きで、たとえばルイ・ヴィトンの新作が欲しいとしたら、「ハイブランドレイヤー」という空間レイヤーを重ねれば、渋谷の街のあちこちでルイ・ヴィトンの新作の情報を出すこともできます。また、あなたが『ポケモン』好きであれば、「ポケモンレイヤー」を表示させることで、たとえばスクランブル交差点を『ポケモン』の

無限にコンテンツを重ねられる構造

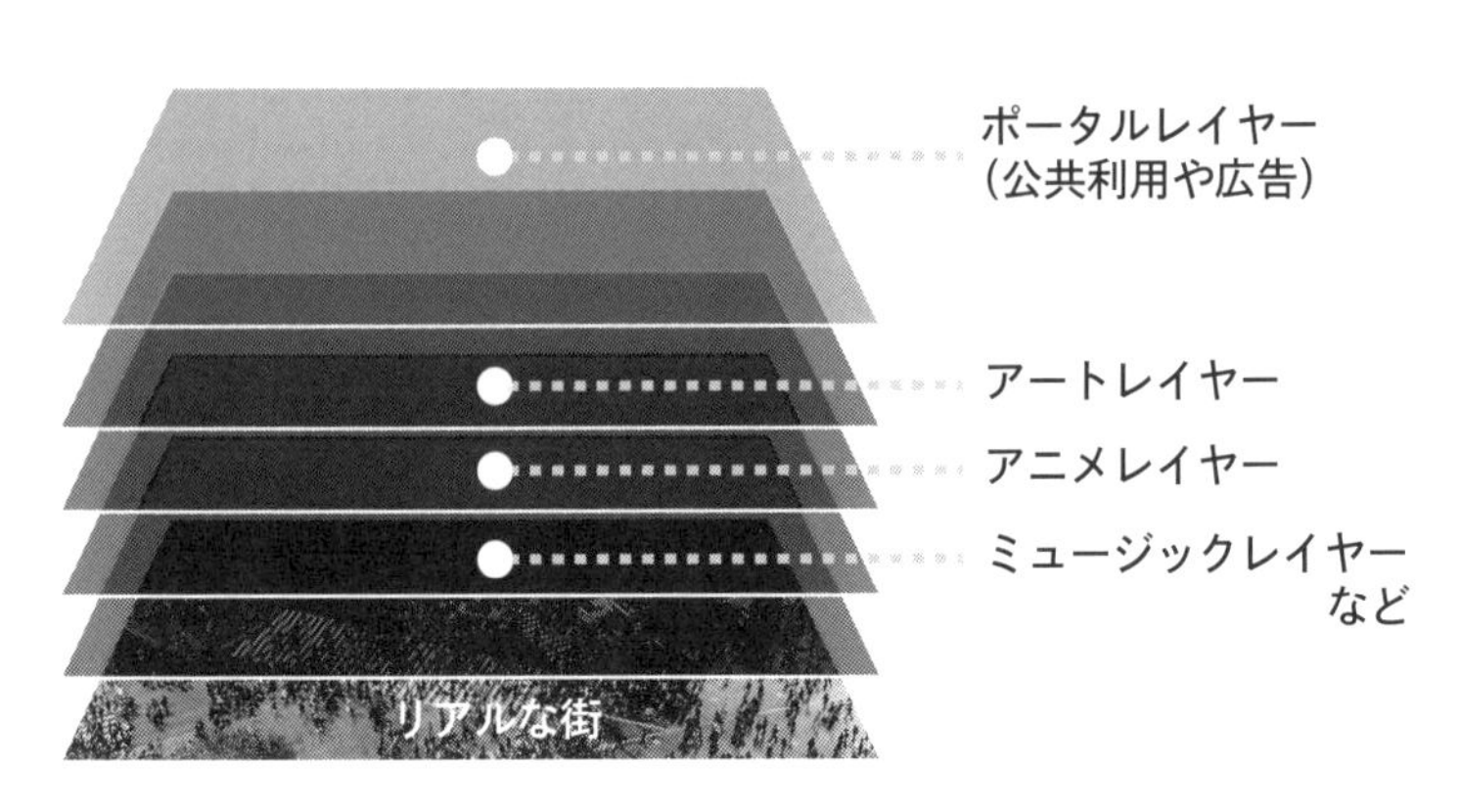

キャラクターで溢れさせたり、自分の好きな『ポケモン』と一緒に街歩きを楽しむこともできるようになります。

もちろん様々な情報が煩わしくなり、現実の渋谷の世界を堪能したいと思えば、全ての空間レイヤーを消すことも可能です。

このように一つの「渋谷」という場所であるにもかかわらず、複数のレイヤーを重ねることができる世界になると、その人の趣味嗜好に合わせて自分好みの空間レイヤーを重ねながらその空間を楽しむことが可能になります。

2種類の空間レイヤーが誕生する

空間コンピューティングの時代が到来すると、現実の世界に空間レイヤーを重ねて、いくつもの空間を身にまといながら生活することができるという話をしましたが、この空間レイヤーには大きく分けて2つの種類があります。

それが「パブリックレイヤー」と「パーソナルレイヤー」という概念です。

パブリックレイヤーというのは、そのレイヤーを現実世界と重ねて、見た人全員が同じものを見たり聞いたり体験できたりするレイヤーです。

たとえば先の渋谷の例で言うと、「ハイブランドレイヤー」だったり「ポケモンレイヤー」などがそれにあたります。

あるミュージシャンが渋谷のレコードショップとコラボレーションして空間レイヤーを作ったとします。そのミュージシャンのファンがその店を訪れて、その空間レイヤーを表示させると、その空間でしか見られない限定のライブ映像が映し出されて楽しむことができる。こういう空間レイヤーをパブリックレイヤーと呼びます。

一方で、パーソナルレイヤーというのは、より個人の生活に密接に繋がっているレイヤーです。パブリックレイヤーのように、色々な人が同じ体験をできるものではなく、個々人によって違ったものが見えるレイヤーです。

たとえば、健康を管理するためのヘルスケアのレイヤーだったり、スマートフォンやスマートウォッチを使わなくてもコンビニやスーパー、公共機関で決済ができるレイヤーだったり、**個々人の生活や仕事に合わせてマネジメントして自分オリジナルの空間を作ることができるのがパーソナルレイヤーです。**

今までこの空間レイヤーの世界というものは、基本的にパブリックレイヤーを中心にコンテンツが作られることが多かったのですが（『Pokémon GO』のように、ARで見える世界はある意味パブリックレイヤーです）、それがAVPの登場によって、ここにパーソナルレイヤーも重なっていく時代が到来します。

パブリックレイヤーとパーソナルレイヤーの使われ方を比較すると、パブリックレイヤーのほうがその世界を共有しやすいという特徴があります。

たとえば渋谷に友人と行って、友人のスマホに映し出されたARを自分も見ることができます。またHMDを持っていなくても、誰かに借りればパブリックレイヤー上に展開されたコンテンツを楽しむことができます。

一方で、パーソナルレイヤーというのはその人、個人のものなので、他の人が見ることはできません。AVPは、購入後にそのユーザーの目の位置等を設定する必要がありますし、その人個人のApple IDに紐づいていますから、自分のAVPは基本的に他の人に貸し出すような作りになっていません。他人のスマホを借りて使わないのと同じ感覚だと思っていただけるとわかりやすいでしょう。

パブリックレイヤーとパーソナルレイヤーはどちらが先に拡大するか？

２０２４年の段階において、多数の人がＡＶＰのような超高品質なデバイスを使ってパブリックレイヤーにアクセスするという現象が起きるのは現実的ではなく、もう少し先の話になります。

スマホなどのデバイスでパブリックレイヤーにアクセスすることは十分可能性がありますが、たとえば「渋谷に面白いパブリックレイヤーが出現するみたいだからデバイスを買おう」という購買行動は起きないでしょう。

ただ一方で、たとえばあるショッピングモールで2時間１０００円くらいでヘッドセットを貸し出して、買い物をしながら色々な情報が見られたり、色々なアーティストがそのモールとコラボしている作品を見ることができるという展開であれば、パブリックレイヤーの使われ方としてまだ現実的です。

また、パブリックレイヤーの拡大が予想される一つの分野としては、美術館や博物館が挙げられます。デバイスを装着したままでも、裸眼で見るようにアートを鑑賞しながら、解説コンテンツが出てきたり補足で動画のコンテンツを見ることができて、鑑賞をより深めるこ

とができるようなサービスであれば、数年のうちに現実のものになるでしょう。

今もあちこちの美術館などで有料貸出の音声ガイドなどがありますが、その進化版のようなものと考えてもらえるとわかりやすいでしょう。

もしかすると多くの人は、まず博物館や美術館などでこのパブリックレイヤーを体験するかもしれません。そして、パーソナルレイヤーが開発され普及していくのは、現在日本円で約55万円するAVPがより安くなって軽量化され、バッテリーも小型かつ大容量になって、一般の人がスマホを持つようにHMDを身につけるようになってからでしょう。

そしてスマホと同じようにAVPを保有して使う人が増えれば、個人の端末を使って大勢の人が同時に同じものを見て楽しむイベントが全国各地で開催されるようになるはずです。

では、ＡＶＰのような空間コンピュータが一般的に普及するのはいつになるのか？　これははっきりとは申し上げられないのですが、スマホという存在が２０００年代中頃に出た時、当時日本では携帯電話の性能が高くスマホへの関心が低かったためすぐには普及しなかったのですが、２００９年にiPhone 3GSのリリースで爆発的に広がった事例を考えると、６〜10年後、つまり２０３０年頃には多くの日本人がこのデバイスを持つようになり、爆発的にパブリックレイヤーはもちろん、パーソナルレイヤーが増えていくと考えられます。

そんな世界を思い浮かべると、スマホが多くのユニコーン企業を生み出した当時と同じく、様々なビジネスチャンスが生まれると思いませんか？

ビジネスという視点において、パブリックレイヤーの場合で考えるとすぐにマネタイズのアイデアを思い浮かべることができるかもしれません。

仮想空間上に企業広告を打ったり、デパートやショッピングモールでメーカーとコラボして消費行動を促したりするという施策が考えられます。

一方で、パーソナルレイヤーの場合だとどのようなビジネスが考えられるでしょうか？たとえば先に触れたヘルスケアのレイヤーならそのセクターの企業がアプリケーションを開発するでしょうし、決済レイヤーにはカード会社等の金融機関にビジネスチャンスがあるでしょう。

また個人でも、たとえばスマホの壁紙やＬＩＮＥスタンプのように、その人が好きなアートやキャラクターをダウンロードしてその人のパーソナルレイヤー上の空間に置くことが可能になったりします。またこれから先は、色々なものが生成ＡＩと連携していくので、その人に合った便利なものが自動生成され、その人のパーソナルレイヤー上に置かれたりすることもあるでしょう。

空間コンピューティング業界は群雄割拠になるのか

空間コンピューティングにビジネスチャンスがあるとなると、多数の会社がそこに参戦してくることは自明です。Apple は自社の VisionOS を使ってＡＶＰを展開していますが、おそらく Google も Android の先に新しい空間コンピューティングのＯＳを出してくるはずです。

前述のように２０２３年2月に、Samsung が Google、Qualcomm と提携し3社で次世代に向けたＸＲ体験を構築することを宣言しました。そしてこの共同プロジェクトの一環として Samsung がハードを作りＯＳを Google が作って Apple に対抗してくると考えられます（２０２４年発売予定は延期に）。

　またMetaも開発を進めており、自社のサービスであるFacebook中で展開されているコミュニティを、自分たちのバーチャル空間に取り込もうと考えています（Metaはバーチャルな世界でのビジネス展開に主軸を置いていましたが、『Meta Quest 3』でＭＲ機能を積極的に取り入れ始めました。Appleは現実の世界の拡張、現実世界を軸として新しい空間を提供するビジネスを展開していこうと考えているので、世界観を寄せてきている印象です）。

　また海外だけでなく、日本もこの分野の開発に力を注いでいます。２０２４年３月にＮＴＴドコモの関連会社であるＮＴＴコノキューがＡＲ用のグラスを発表しました。このグラスを作ったのはシャープとＮＴＴコノキューデバイスという合弁会社です。Qualcommのプラットフォームを使っておりAndroidのアプリに対応しています。

　メタバースに対応したハードの開発というのは、最低でも数百億円かかると言われているのですが、まだ空間コンピューティングの世界は参入者が少なくブルーオーシャンなので、様々な企業がＡＶＰに対抗すべく新製品をリリースしてくるでしょう。

　ハードウェアが登場して日を重ねるごとに性能が上がり、そのハードに使えるプラットフォームが整備されていくと、そこで様々なビジネスが展開されることは確実です。

　次の章では、空間コンピューティングの世界で誕生すると考えられるビジネスについて紹介していきます。

第４章

空間コンピューティング時代のビジネス

変わる広告媒体の本質

空間コンピューティングが世の中に普及すると、どのようなビジネスの可能性が広がるのでしょうか？　あらゆる空間がコンピュータと繋がり、色々な空間が今以上の価値を持つようになり、空間が自由に配信されるようになる時代に、私たちのライフスタイルや産業はどのように変わっていくのでしょうか？　様々な業界に無限の可能性が広がることは確実ですが、中でも広告を発信・受信するスタイルが大きく変わっていくことは比較的容易に想像することができます。

現在、私たちがテレビやラジオ、インターネットなどのメディアや街の中で見る広告は、消費者からすると自分には何の関係もない情報を半ば強制的に見せられる、つまり**「煩わしく効果のない広告」が街に溢れています。**

たとえばゴルフに興味のない人にとってみれば、電車や街なかのゴルフの広告などは何の意味もないですし興味の対象ですらありません。ですが逆に、「その人の興味に合った広告だけを見せる」ことが可能になれば、企業にとっても消費者にとっても非常に有意義なものになります。そうすると、広告のコンバージョン率がとても高い世界になり、ユーザーは欲しい情報を得られ、広告主は効果の高い広告を打つことができるようになります。

空間コンピューティングの中の広告は、視線の動きも取れたり、いつも身につけているデバイスを通して見せるので、よりパーソナライズすることが可能になります。また、その人に興味のありそうな広告だけを見せればよく、消費者側も見たくない広告は空間上で「消す」こともできるようになるでしょう。

スマホを使っている我々現代人は、一日に約8時間スマホを見ていると言われています。もしこの先空間コンピューティングの時代になって、AVPのようなデバイスを装着して生活することが当たり前の時代が到来し、たとえば10億人がそのデバイスを使う時代が到来すると、年間ざっと3兆時間の新しいマーケットが生まれることになります。これは広告費にすると年間数百兆円の新しい市場が生まれると試算されており、ここに注目している世界の企業はすでに資本を投下して急ピッチで参入を進めています。

ライフスタイル向けのアプリも変わる

2024年3月現在、AVP内で使えるアプリケーションをリリースしている会社は日本でおそらく10社程度だと思います。ですがそのほとんどがこのデバイスを「単純な空間メディアや空間ディスプレイ」と捉えていて、ＡＶＰで稼働することができるようになっただけのゲームアプリのようなものがまだ多いのが現状です。つまり今までiPhoneなどで操作できたものをＡＶＰ用に仕様変更したような単なる横展開のアプリが多く、空間がコンピュータの出入り口となって生活や仕事が便利になるようなアプリケーションというのはまだ開発途中の段階です。

中には空間コンピュータの意味をきちんと理解して、開発リリースしているアプリもあります。例を挙げるとＭＥＳＯＮが提供している『SunnyTune』というお天気アプリなどがそうです。『SunnyTune』はスノードームのような半球の中に天気の様子を再現していて、いつも机の上に置いておけるものになっていて、地域を指定するとその地域の天気の様子が半球の中に再現されます。

他に天気予報アプリを開発している海外のベンダーも多いのですが、そのほとんどがスマホの画面で見られる情報が空間に画面として浮いているだけ、単に空間ディスプレイに表示しただけというもので、あまりイノベーションを感じません。『SunnyTune』が目指す世界はリアルの中にいつも存在するバーチャルであり、競合はインテリア雑貨だと言っています。このコンセプトは私が述べている身にまとう空間と同じであり、とても共感できるコンセプトです。

©MESON, inc.

この手のアプリケーションが開発されると、AVPならではの空間コンピューティング本来の恩恵を受けられ、どこでも自由にインプット・アウトプットできる世界が到来し、もっとライフスタイルや日々の仕事で活用できるようになってくるでしょう。

たとえば家の本棚に本が並んでいて、その一部が電子書籍を並べることができる棚になっていると想像してみてください。その棚は横につまんでスワイプすると（AVPでメニュー画面を動かす方法はスマホ画面を横にスワイプするように、動かしたいものを見て、つまんで、スワイプすることで移動できる）、どんどん本が流れていき、これまでスマホの中に入っていて読むことを忘れてしまっていた本たちも、本棚にいつも見えるように本物の本と一緒に並ぶことで使い勝手が大きく変わります。

また、リアルな空間での行動とアプリが連携すると、もっと便利な使い方ができるようになります。

たとえばヘルスケア関連でしたらApple Watchと連動してその人の体の状態を観察してくれながら、その人の視線や行動履歴などからより健康になれるためのライフスタイルの提案等をしてくれるアプリケーションが開発されるでしょう。身体センサーだけでなく生活行動や顔色などをいつでもインプットして情報を収集し、必要な時に必要な場所で的確なアドバイスというアウトプットをしてくれるようになると思います。

私は今回のＡＶＰの登場は「インターフェースのゲームチェンジ」と捉えています。今までの場合、たとえば料理をするなら「cookpad」があったり、YouTubeで料理人の動画をiPhoneで見ながら料理をするという行為は多くの方がやっていたので、それはそれで十分便利です。

ですが、料理する時に台所でスマホやiPadでアプリを開いてレシピを探して料理して……料理の途中でスマホの画面を見ようとしたらスリープ機能でブラックアウトしたから手を洗ってタオルで拭いて……スマホをオンにして顔認証でまたレシピを出して再び料理を続けて……次の工程を見ようとしたらまたスマホがブラックアウトして……という状況に煩わしさを感じた経験がある人は少なくないはずです。

しかし空間コンピューティングが普及すると、たとえば台所に立つと勝手にレシピサイト

スケジュールやレシピ動画を空間コンピュータで見ながら料理をする様子　©ワーママTEC3

やYouTubeの料理動画のおすすめなどが表示され、冷蔵庫に入っている食材からおすすめレシピを提案してくれて、空間上に材料とレシピが表示されたりするでしょう。キッチンタイマーも物理的ではなく空間にいつも置いてあり、邪魔な時は消してもいいし、インテリアのように配置しておいてもいいのです。

また、たとえばデスクに座るとその日やるべきタスクが空間に浮かび上がって教えてくれたり、期日の近いものから順番にグラフィックや音声などで教えてくれたりするようになって、効率的に仕事を処理できるようになるでしょう。

つまり、**今までコンピュータという装置は、それを立ち上げて何らかの操作をしていましたが、あらゆる空間で情報のインプットとアウトプットができるようになると、ライフスタイルが大きく変わります。**

アートやエンタメはすでにバーチャルで価値を生み出している

生活やビジネスにおける現実とバーチャルの融合はもう少し時間がかかりますが、アートの世界やエンターテインメント業界においては、この２つの融合で違った価値を生み出している事例がすでに数多くあります。

たとえば、バーチャル空間での展示以外にも、ＮＦＴを使ったアートコレクションなどが話題になっています。

一番有名なのは、Twitter の共同創業者であるジャック・ドーシーが世界で初めてつぶやいた自身のツイートをＮＦＴとして出品したことでしょう。また、ドルチェ&ガッバーナやルイ・ヴィトン、ＧＵＣＣＩなど世界中のハイブランドがＮＦＴを使ったコレクションを発表したりしています。

そんなＮＦＴのコレクションの中でも一時話題になったのが、ＢＡＹＣ（Bored Ape Yacht Club）と呼ばれる作品群です。

ＢＡＹＣは２０２１年にリリースされた、ＡＰＥ（類人猿）をモチーフにしたＮＦＴコレクションで、仮想通貨の一つである「イーサリアム」を使って取引されています。猿の毛の色や表情や身につけているアイテムなどを組み合わせ、世界で一つの作品を作り上げているのですが、これが海外のセレブたちに熱狂的に支持され、エミネムやパリス・ヒルトン、ジャスティン・ビーバーなどが驚くような価格でこのBAYCを購入しています。

もちろんこのBAYCというアートコレクションそのものにも意味と価値があるのですが、ポイントはBAYCの保有者だけが入ることを許されたグループがあるということです。このNFTコレクションが一種の「会員権」のような役割を果たしており（ブロックチェーン技術で改ざんされないので）、これを保有している人だけがそのグループに参加することができ、セレブをはじめとする世界中の様々な人と人脈を築くことが可能になるのです。

つまり、**今まで人脈を築ける機会を価値化して、きちんと売買できるようにする方法はなかった状態が、NFTによって見えない価値を所有でき売買できるようになった、というのが本当に意味があることなのです。**

所有や真偽を証明する手段は、不動産の登記簿しかり美術品の鑑定書しかり、今まではハンコが押された紙によるものでしたが、これからはブロックチェーンを活用して様々なものが管理される時代になります。

現在は土地そのものに価値があり、登記することで所有することも売買することもできますが、その上の空間そのものに価値をつけて、所有したり売買したりする方法はありません。

ですがブロックチェーンを使えば、ある空間に価値があると認めた人たちだけで、それをブロックチェーン上で管理することも可能になります。したがって、**空間の所有権をＮＦＴ化すれば、所有することも売買することも自由にできるようになるのです。**

アートや空間だけではありません。私たちの周囲にあるモノの価値観も大きく変わっていきます。

みなさんはＮＩＫＥが買収したＮＦＴベンチャーのＲＴＦＫＴ（アーティファクト）という会社をご存知ですか？　この会社はスニーカーや洋服等のＮＦＴを扱うスタートアップなのですが、この会社をＮＩＫＥがかなりの額（非公開ですが数百億円と囁かれています）で買収したのには理由があり、私は「価値の仮想化」ができたからだと考えています。これはアーティファクトの経営陣が語っていた話を私なりに解釈したものですが、たとえばＮＩＫＥの限定のエアフォース１を手に入れたとしましょう。このスニーカーは将来確実に価値が上がることがわかっているとします。もしかすると10万円、50万円ほどになるかもしれません。しかし、一度でも履いて少しでも汚れたら価値は一気に落ちてしまいます。

ですから、多くの購入者は履かずに大切にしまっておくでしょう。時には写真を撮影してInstagramにアップして自慢したりもします。そして高くなったら折を見て転売するでしょう。

これらには三つの機能があります。一つは所有できることです。もう一つは他のスニーカーと比べて限定品という付加価値がついていて、転売、二次流通できること、そして最後に人に自慢できることです。

分解した機能を見ると、「所有できて、二次流通できるだけの付加価値がついて、自慢できる」ということであれば、実際のスニーカーではなく、「スニーカーの絵」でもいいということにお気づきになる方もいるのではないでしょうか？　それをブロックチェーン技術で実現したのがＲＴＦＫＴというＮＦＴベンチャーです。

その「スニーカーの絵」はブロックチェーン上で管理されていて、数が限定されていることが保証されています。またそれは市場で売買も可能で、二次流通させることもできます。またＶＲ空間で自分のアバターに履かせることも可能で、歩くと色が変わったりする仕掛けもあったりします。つまり、今まで現実世界で限定のスニーカーを買ってもフィジカルで履かないのであれば、バーチャルのスニーカーを買ってアバターに履かせて楽しんだり、箱から出さないで大切に所有しているよりも別の価値を生むことができたりするのではないかという考えです。

そして今では、モノによってはバーチャルな権利のほうがフィジカルなものよりも高くなっている場合もあります。つまり、**価値を仮想化することで、全く新しいビジネスやキャッ**

シュポイントを生み出すことができる世界になり始めているのです。

ビジネスのキャッシュポイント自体が大きく変化する

音楽業界はサブスクリプションの普及でＣＤが売れなくなり、さらにサブスクリプションで再生されても１曲０・３〜０・４円の利益しか生むことができない時代となりました。そのため音楽業界においては、発想を変えて楽曲を聴いてもらう部分では利益を出そうとしないで、楽曲はそのアーティストを知ってもらう入口と捉えて、そこからグッズやライブをキャッシュポイントにする方向に舵を切りました。

この先おそらく音楽業界はさらに進化して、トータルなライフスタイルを音楽とそのイメージ空間で覆うフィルターを作り、それを販売するのが一番のキャッシュポイントになるかもしれません。

第３章の「レイヤー」の概念を用いて説明します。たとえばあるアーティストの空間レイヤー（パブリックレイヤー）を作り、そのアーティストのファンにそのレイヤーに参加してもらい、その中では音楽やイメージのビジュアル、コンセプトを体験してもらうことは無料で提供するが、グッズやリアルなライブ、そして空間コンピューティングの中で展開される体験型コンテンツ等でマネタイズしたり、商業施設や、ブランドなどとコラボレーションして都市空間を使った広告に、Spatial Music（空間体験型音楽）を提供するなど、そんなビジネスモデルが出来上がるはずです。

私は音楽業界の友人と、今後のビジネスモデルについて話をする機会がよくあるのですが、まだ雲を摑むような話のようで今ひとつ理解してもらえていないのが現状です。しかし、これからは空間を押さえる者が文化を押さえることになると身をもって体験しているので、音楽ビジネスでは今後、空間の価値化が重要になると確信しています。

その体験というのは、２０１０年頃にミャンマーに行った時の話です。

その頃、旧首都のヤンゴンはバス停がまだ藁葺き屋根だったのですが、当時ミャンマーは発展途上の段階にあり、政府が先進国の協力を得ながら様々なインフラを整備していて、その藁葺き屋根のバス停も建て直しが検討されており、海外から各国がミャンマーを訪れていました。

もしミャンマー政府と提携すれば、ヤンゴン中の交通広告のメディアを握ることができると、日本のベンダーも交渉のテーブルについていました。日本企業はその場で決断することはせず、一旦持ち帰る形でその話を受けた一方で、その場でこの話に乗った国がありました。それが韓国のSamsungを含めたベンダーたちです。

そこからヤンゴン中の交通広告ではＫ－ＰＯＰアイドルのＰＶが流れ、ミャンマー国内で韓国カルチャーを広めました。

Ｋ－ＰＯＰをグローバルにするなど、カルチャーを広めるマーケティングに長けた韓国の人たちはおそらく、**いかに空間を支配することがこれからの時代のビジネスにおいて有利なポジションに立てるかを熟知していたからこそ、この決断ができたと私は推測しています。**

これからの時代は、音楽業界はもちろん様々な業界において、あらゆる空間がコンテンツとのタッチポイントになることになり、それをどうビジネスにしてマネタイズしていくかを考えていく必要があります。

音楽業界でたとえると、これまではサブスクやネット配信などでダウンロードした音楽や動画などのメディア、実際に行くライブやグッズなどリアルな体験をさせるものが主なタッチポイントでした。それが空間コンピューティング時代になると、いつも過ごしている空間をタッチポイントとして利用することができるようになります。この、いつもある空間をどう活用するのかが、今後のカギとなるのです。

ファッション業界においても洋服を単に売るのではなく、ブランドの空間を作ってその空間でそのブランドの世界観を体験することを通じてユーザーに買い物をしてもらうという手法を取る動きが高まっています。

たとえば、以前ＧＵＣＣＩが銀座にコレクションをイメージした部屋を作りましたが、その部屋でユーザーにＧＵＣＣＩの世界観に没入してから買い物をしてもらうという、単なるショッピングとは違う体験型のコンセプト施設がありました。

つまり、**これまでのブランドが提供するものはファッションやそのストーリーでしたが、それが今は「空間」や「体験」に変わってき始めていて、体験を通じてユーザーは購入するようになります。**ちょうどディズニーランド効果と言われるものに近いかもしれません。みなさんもついつい夢の世界で買った耳の生えた帽子を被ったまま電車に乗ったり、持って帰ってきたら大きくて保管に困るポップコーンケースを買ってしまったことがあるのではないでしょうか？　そしてそんな空間の体験というものが、空間コンピューティングであれば誰でもどこでも可能になる時代が到来します。

空間が不動産のように価値を持つ時代に

空間コンピューティングの時代に大きく価値を持ち、ビジネスチャンスがあるのが世の中のあらゆる場所にある「空間」です。今までは「土地」に価値があり、たとえば銀座の何丁目は一坪あたり何億円ですとか、渋谷のスクランブル交差点にそびえるビルに設置された看板の広告費は1ヵ月あたり数百万円です、というように土地そのものの価値が評価されていました。

しかし空間コンピューティング時代では、スクランブル交差点にそびえ立つビルの間の空間に3Dコンテンツを使って、立体ディスプレイのような広告を出したりすることができるようになります。そうすることによって土地の上に広がる空間にも新たな価値を持たせることが可能になってきます。

今後あらゆる空間が価値を持つようになると、たとえば空間登記法のような法律を作ったり、ブロックチェーン等を活用しながら空間に所有権を持たせ、NFTのようなマーケットを活用して二次流通させることも可能になるでしょう。このようにして空間に価値を持たせることができるようになると、そこを覆う「レイヤー」も売買したり、レンタルすることが可能になります。

たとえば、東京・新宿の伊勢丹付近の空間をハイブランドが借りたとすると、デバイスを身につけたユーザーがその近辺に行くとそのブランドのイメージで覆われたパブリックレイヤーに没入して、そのブランドの世界観に浸ったりすることができます。

たとえば、今ニューヨークのタイムズスクエアに広告を出すと1ヵ月で約3億円かかると言われていますが、現実世界の看板や広告を設置する場所は物理的に限りがあります。しかし**空間コンピューティングの世界であれば、その場所にいくつものレイヤーを重ねることができるので、その場所の価値が無限に広がり、一大産業が起きることになります。**

その産業に乗って新しい価値観を生み出すために必要なものは、そのレイヤー上にコンテンツを作り出せるプラットフォームと、そのコンテンツを作り出すことのできるクリエイターの輩出と育成であると考えています。しかし今現在、そのようなことに力を入れてやっていこうと考えている企業はごくわずかです。

ＡＶＰが普及したら、おそらくそういう世界になるだろうなと考えている人はいますが、街の中にレイヤーが構造化されてレイヤー自身が経済圏を持つようになり、それ自身が価値を持って流通していく、というところまで考えている人はほとんどいないのが現状です。だから動き出すなら今、というのが私の持論です。

空間コンピューティング時代のビジネススキル

空間コンピューティングの普及によってビジネスにおけるゲームチェンジが起きるなら、ビジネスのノウハウや求められるスキルも変わります。

２０２４年現在、ChatGPTなどの登場により今まで人間が処理してきた一部の作業が、かなりの精度でＡＩによって処理できるようになりました。これは間違いなくますます加速し、今まで人間がやってきた「作業」はＡＩが処理してくれる時代にすでになりつつあります。タスク整理はＡＩがやってくれるので、我々人間はどういう風にＡＩに指示を出すのかというスキルが求められるようになってきます。

さらに空間コンピューティングが普及すると、複数のことを同時にこなす環境が整うので、マルチタスクが得意な人はものすごいパフォーマンスを発揮することができる時代になるはずです。仕事が大変になるというイメージよりも、人生におけるアイドルタイムが減り、仕事でもプライベートでも無駄な時間を圧倒的に減らすことができます。

マルチタスクな状況に置かれますが、いわゆる作業と呼ばれるものはＡＩが全て処理してくれるので、人間はＡＩに何をやるか指示を出したり、ＡＩが出してきた処理内容を見てそれが違っていたらどういう方向で修正するのかを伝えればいいので、人間のやることは今よりも確実に減ります。

またこれからの時代は生成ＡＩの発展普及によって新しい仕事がどんどん増えていくでしょう。よくＡＩは人間の仕事を奪う、ＡＩと人間は対立するなどと言われていますが私はそうは思いません。逆にＡＩを上手に使って新しい価値を生み出す仕事が増えたりしていくはずです。そしてＡＩを活用して正しい情報を見極めたり、反対の立場の人たちの意見を深く知る力がより求められる社会になるでしょう。もしかすると学校ではＡＩを使った正しい情報収集の方法のような授業が出てくるかもしれません。

そういう世界になった時に私たち人間に求められるスキルは、「自分の必要な情報をきちんと取捨選択できる力」だと考えます。

私たち人間がインターネットを介して情報を手に入れようとする場合、ネットの検索サイトのアルゴリズムがその人が好ましいと思うことを優先的に選択して提示し、逆にその人とは異なる意見と思われる記事などを排除してしまうことで、自分と同じような意見や視点を持つ情報だけに囲まれてしまう「フィルターバブル」という現象が起こってきます。

確かに、アルゴリズムが自分に合った情報だけを選んで提示してくるのは便利かもしれません。しかしそればかりを吸収していると、気づけば「井の中の蛙」状態になることは確実で、時には反対意見や普段入ってこない情報にも触れたり向き合うことによって自身が成長することになるので、情報をコントロールする力が必要になってきます。

最近は、空間コンピューティングやメタバースに関しての講演依頼を多くいただくのですが、質疑応答の際に「空間コンピューティングの時代に備えて何かできることはありますか？」と聞かれることがよくあります。その時にはいつも「情報を整理して優先順位をつける習慣をつけること。そして、パラレルにタスクを管理できるようにスキルアップしておいてください」と答えています。特にいつもパソコンのデスクトップがアイコンで溢れている人は要注意です。空間コンピューティングの時代になると、考えられないほどの情報量が出たり入ってきたりするので、その情報をコントロールして自分のタスクを管理するスキルが必要不可欠になるからです。

空間コンピューティングで子育ても変わる

空間コンピューティングによって、ビジネスにおける環境は大きく変わるので、様々な要因で今まで働きたくても諦めていた人も働けるようになります。

今までは、子育てと同時並行して仕事をするというのは非常に難しいものでした。ましてや一昔前は、子どもが生まれたら女性は仕事を辞めて家庭に入るのが当たり前、という価値観が普通でした。しかし働き方改革やダイバーシティ、そしてコロナ禍におけるテレワークの普及などから考え方や働き方が変わりました。

そしてＡＶＰのようなデバイスが進化して、誰もが空間コンピューティングの世界を使えるようになると、子育てをしながら働くことがますます効率的になり、多くの人が参加できるようになると考えられます。

たとえば、デバイスを通して子どもを見ると、体温の状態だったり熱の有無なども確認できますし、今子どもが何をして欲しいか、何が必要かをＡＩが教えてくれたりもするでしょう。また、子どもをあやしながら仕事でひらめいたアイデアをつぶやくと、ＡＩがそれをまとめて文書化してくれて、後で仕事に集中する時の資料を勝手に作ってくれるようにもなります。

今ではテレワークがかなり普及しましたが、テレワークでも基本的にパソコンの前に座らないと仕事はできません。しかし空間コンピューティングの世界が広まれば、料理をしながらでも洗濯をしながらでもＡＩに指示を出せば様々なタスクを処理することができます。

ＡＩやコンピュータが普及すると人間はどんどん働かなくなると言われますが、私はそうならないと考えていて、積極的に働きたい人はこのように色々なことをパラレルに処理する時代がやってくると考えています。作業や事務処理などは全てＡＩに任せて、人間にしかできないことを人間がやることにより、いくつものタスクを分けて走らせることができますし、それが可能になることで人間の能力は拡張していく時代がやってきます。

空間コンピューティングの世界というのは、言い方を変えると今までスマホを取り出したりパソコンを開かないとできなかったインプットおよびアウトプットが、いつどんな状況においても可能になるということです。

そしてたとえば仕事タスクＡのレイヤー、仕事タスクＢのレイヤー、プライベートのレイヤー、子育てのレイヤー……のように複数のレイヤーを同時に処理しながら生活することが可能になるのです。もちろんそんな複数のレイヤーを重ねながら四六時中生きているなんて嫌だと思えば、全てのレイヤーを一旦消して、何もないレイヤーで心を整える時間も作ることが可能です。

このようにある種のマルチタスクが可能になるというのは、複数の時空間を扱えるようになるということです。たとえば、今まで人間はある決まった時間には一つの会議にしか参加できませんでした。しかし空間コンピューティングの世界になると、複数の会議に参加するのが当たり前になってきます。たとえば会議Ａ、Ｂ、Ｃに出席するとして、Ａの会議に顔を出し、ＢとＣの会議はＡＩに頼んでその内容をまとめておいてもらって、Ｂの会議で意見を求められているのであれば、ＡＩがまとめてくれた内容をＡの会議に出ながら空いている時間に読んでＢの会議に顔を出して意見を述べ、Ｃの会議はＡＩがまとめてくれた内容を読んで後から意見を出す、みたいなことも可能になります。

空間のどこにでもコンピュータの出入り口がある世界になると、それを知っていて使える人とそうでない人とでは、圧倒的にパフォーマンスや効率が変わってくるのです。

ここまで、新しい世界で変わるであろうビジネスモデルや、今後身につけておくと有利なビジネススキルなどについて説明しましたが、空間コンピューティングにおける新しいビジネスの可能性や今取り組んでいる仕事が空間コンピューティングの世界になるとどう変わるかなどを想像することができたでしょうか？

さて、次の章では私が経営しているＳＴＹＬＹが実際に取り組んでいる空間コンピューティングを活用した企画やイベントなどを紹介しますので、新しいビジネススキームの参考にしていただけると幸いです。

第 5 章

空間コンピューティング時代に向けた取り組み

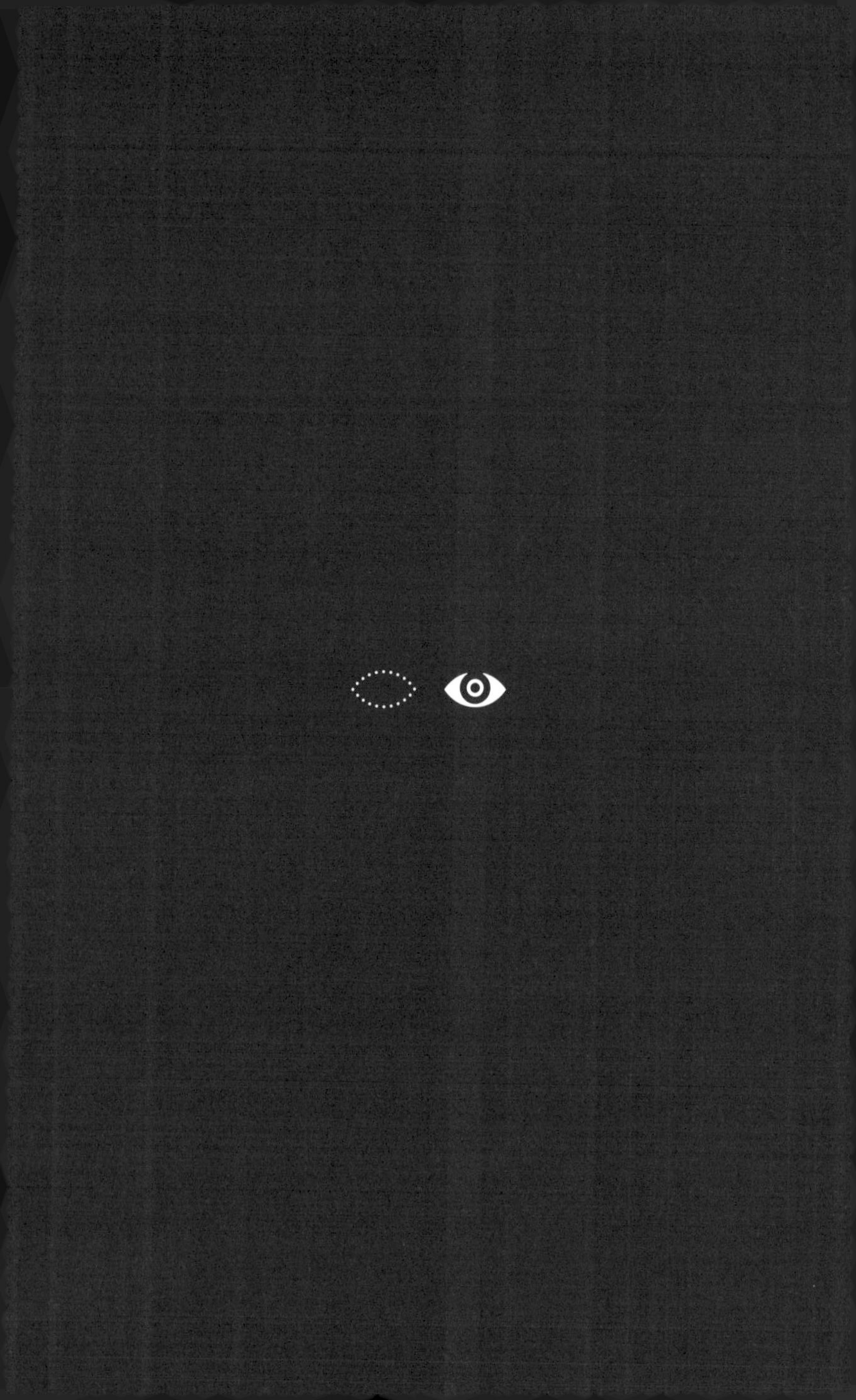

体験を作る仕事〜空間クリエイターとは〜

近い未来に訪れるであろう空間コンピューティングの時代には、どんな人材が必要とされるのでしょうか。

今私たちはパソコンやスマホで情報を見ていますが、基本的な情報というのは静的で「点」の情報が多い一方、空間コンピューティングの時代になると、「点」から「線」へ、「線」から「面」へと、どんどん動的になっていきます。

動的なものとは、ユーザーが何かに触れた時に、どういうインタラクションをしてどのような反応をするのかという「体験」のことであり、この「体験」を作る人間が必要となってきます。**ですから３Ｄでコンテンツを作るスキルに加えて、「体験」を作ることのできる人材が活躍する世界になると私は考えています。**

少々わかりづらいかもしれませんが、空間をデザインできる建築家であり、シナリオライターであり、３Ｄモデラーであり、それら職業の特性が合わさったような「空間クリエイター」という業種が誕生する時代になるでしょう。

たとえば、ＥＣサイトを例に説明します。現在ではネットで買い物をする時は、パソコンやスマホを使って画面上に陳列されている商品をスクロールしながら探して買う場合がほとんどです。

しかし空間コンピューティングの世界での買い物は、大きく変わります。

たとえば、今年の水着を買おうかと空間コンピューティング上で水着を販売しているサイトに行くと、その空間に没入できて視界が夏の海に変わります。それは湘南の海だったりハワイのワイキキビーチだったり東京の高級ホテルのナイトプールかもしれませんが空間は自由に選ぶことができ、それに合わせたＢＧＭも流れます。

そしてそんな空間でＡＩがその人の趣味嗜好を解析して、バーチャルでその水着を着るとどんなイメージになるのかなども映し出してくれ、部屋にいながらにして新作の水着を海岸やプールで自分が着用しているイメージを見ながら買えるようになります。

また、ブランド側の視点で空間コンピューティングにおけるユーザーへの訴求を具体的に説明すると、あるアパレルメーカーがあって、そのメーカーが「森」をテーマにした洋服をアピールしたいとします。

ユーザーがそのメーカーのサイトを訪れると、入った瞬間視界に森林が広がり、映像と音でそのメーカーのブランドコンセプトがストーリー仕立てで展開されます。そしてどういうブランドコンセプトで今回の商品を作ったのかが紹介され、それが終わると洋服が作品のように並んでいて、ユーザーは自由にそれを広げたりすることができます。

　こういう世界観を、昔私たちが使っていた難しいプログラミング言語を使うことなくホームページビルダーやWordPressを使って簡単にＷＥＢサイトを立ち上げることができたように、３Ｄを駆使してこのような空間を作り、さらにその空間に物語を作って「体験」を生み出すことができるようになります。

　このようなコンテンツを作るためには、色々なスキルやプラットフォームが必要になってきます。

　まずＣＧモデラーのような知識と技術が必要です。さらにその作ったＣＧを、空間上で動かしたり出したり消したりするためのプログラミングの知識が必要です。また、どういうタイミングで何を見せたり、どんなタイミングで音を出したりするのかのようなシナリオを書けるスキルも必要です。

　これらを一人でやるのはとても大変ですが、たとえばストーリーづくりが上手な人や、家具や建物などの３Ｄモデルを作るのが上手な人が空間コンピューティング上で共創できて、自由に色々なコンテンツを作り出せる仕組みがあれば無限に可能性が広がります。

　おそらく、そのように空間上に色々なコンテンツを簡単に作成できるアプリケーションがリリースされていくでしょうし、私たちＳＴＹＬＹも「ＳＴＹＬＹ」という空間を制作して配信できるサービスを提供しています（第3章で少し紹介したものです）。創業翌年の2017年にスマホ版のSTYLYアプリをリリースし、パートナー企業とこのアプリを使いながら色々なイベントを開催してきました。

たとえば、渋谷PARCOとのコラボレーション企画では、STYLYアプリを起動し空にかざすと、PARCOの屋上で、実際の渋谷の街並みを背景にスマホの画面上でCGの花火が打ち上がる「MIRAI HANABI in SHIBUYA PARCO」というARを使ったイベントを開催しました。これは単なるAR花火ではなく、音楽家・松武秀樹氏の書き下ろした曲に合わせて花火が連動するもので、花火の音と音楽はスマホではなく屋上に設置されたスピーカーから大音量で流れ、屋上のイルミネーションも連動するというリアルの施設演出とバーチャルな花火が織りなす新しい形の花火大会となりました。

現段階では小さなスマートフォンの画面越しの花火ですので少々味気ないですが、AVPのような空間コンピューティングのデバイスが普及すれば、河川敷や海辺でしか打ち上げられないような超特大花火を渋谷の街のど真ん中でも見ることができるようになったりします。

この渋谷での取り組みはあくまで一例ですが、STYLYを通じて企業や自治体とコラボレーションした実績を見て、色々な業界の方々に空間コンピューティングによるマーケティングや大きな集客の可能性を感じていただいております。

この業界の課題の一つが、企業などからのオファーがあるにもかかわらず、肝心のコンテンツを作れる空間クリエイターが圧倒的に少ないことです。ですから優秀な空間クリエイターを輩出するために、パートナー企業と手を組んで「NEWVIEW（ニュービュー）」という空間クリエイター育成プロジェクトを発足し、学校も開設しています。

おそらく近い将来、「YouTuber」が人気職業になったように、「空間クリエイター」が人気職業になる日が来るのではないでしょうか。

渋谷で時速370㎞の飛行機レース〜AIR RACE X〜

あらゆる空間に仮想の「レイヤー」を重ね合わせることができる空間コンピューティングのすごい活用方法の一つは、「あり得ない体験」をつくることができる点です。現実の世界では絶対に実現不可能なアイデアを形にすることができるようになるのです。

そんな「あり得ない企画」として、もう一つの事例をご紹介いたします。

２０２３年10月15日に、これからのエンターテインメントやスポーツおよび都市の活性化や話題づくりのヒントとなるような、XRにおける最先端の技術を使った全く新しいイベントが行われました。それが世界で初めて開催された「AIR RACE X（エアレース　エックス)」です。

エアレースについてご存知ない方に簡単に説明しますと、小型で機動性にすぐれたセスナの形をした飛行機を操縦してタイムを競う競技で、最高時速が370㎞かつ最大重力加速度が12Gの中で熾烈(しれつ)なレースが争われ、「空のF1」と呼ばれています。

通常のエアレースは、世界中からパイロットが一ヵ所に集まり、コースに設置されたパイロンと呼ばれる高さ25メートルの障害物の間(ゲートと呼ばれる)を通過してそのタイムを競います。

もちろん一番速い人が優勝なのですが、パイロットの安全性等を考え、機体がある一定の重力加速度を超えるとペナルティを科せられてしまう競技でもあります。

一回のレースを開催すると、約10億円以上の費用がかかると言われ、以前はオーストリアのエナジードリンク会社であるレッドブルがスポンサーとなって開催されていたのですが、2019年に終了してしまいました。

「AIR RACE X」は、そんな現実の飛行機レースとデジタルを融合したエンターテインメントです。世界中あちこちで暮らしているパイロットに、あらかじめ渋谷の街を舞台に設計されたコースのデータを渡して、それに基づいて実際の飛行機を使って各々のパイロットにその土地で飛行してもらいます。そして最新のセンシング技術を使って、飛行機の軌跡や高

©AIR RACE X 2023 実行委員会

度、重力加速度等のフライトデータを収集します。このデータ収集のために、16個の衛星を使って数センチの誤差で場所を特定するというセンサーを開発しました。

次に、収集したフライトデータを分析する必要があるのですが、世界各地から集められたデータですから、天候や気圧等のコンディションも違ってきます。したがってそれらの細かい調整を行う必要があります。また、データに不正をされないようにレースのデータの書き換えを不可能にするＵＳＢトークンとブロックチェーンが使われ、フライトデータをアップロードするまでの時間は90分以内としました。

そしてそのフライトデータを実際の渋谷の街にぴったりと合った形で、ＡＲとして投影する技術も必要不可欠なのですが、これには弊社が開発したプラットフォーム「ＳＴＹＬＹ」を活用し、こうしてＸＲ技術を

世界初の都市型XRスポーツ「AIR RACE X」を楽しむ人々

駆使して映像化されました。レース当日渋谷に集まった観客の方々は、スマートフォンやタブレット端末およびＨＭＤを使って渋谷の街を見上げると、渋谷の街に巨大なパイロンが立ったコースが出現し、その間を凄まじい速度で飛行機が通り抜けていくレースを観戦することができます。

選手たちは10月15日の前に予選があり、それぞれが各地で飛んだデータを基に決勝に進める選手を決めます。選手たちには決勝戦のために飛んだデータを提出してもらい、10月15日にバトルの様子を渋谷の街に作られたAIR RACE Xレイヤーにアクセスしてみんな同時に結果を見るので、選手たちも誰が一番速かったのか当日までわからない仕組みになっています。

当時のレースの映像がどのようなものなのか、実際の映像を見てみないとわかりづらいと思いますが（YouTubeで「AIR RACE X」と検索すると公式チャンネルが出てきます）、バーチャルで飛んでいる飛行機レースの映像を、大勢の人が同じ場所に集まり観戦するというのは新しいエンターテインメントの形でしょう。

またこの「AIR RACE X」のすごいところは、スマホやタブレット、ＨＭＤを通して、どんな場所や高さからでもレースを違う角度で観戦することができる点です。ビルの屋上からも観戦できますし、渋谷のハチ公広場でも観戦できて、観戦する場所によってレースを見る角度を変えることができ、本当に渋谷の街で飛行機のレースが開催されているような臨場感を味わうことができます。

この「AIR RACE X」が成功した意義は２つあると考えています。

一つは莫大なお金をかけて会場を設置し、世界中のパイロットが一つの場所に同じタイミングで集合しなくても、迫力のあるエンターテインメントを提供できたという点です。街中でＦ１レースもできますし、e-sportsの新しいゲームステージにもなり得ます。今後のモータースポーツに大きな可能性を示せたと思っています。

もう一つは、ＸＲを使ったエンターテインメントの新しい可能性を提示できたことです。確かに実際のエアレースの場合は一つの場所に何万人も集まって、大迫力のレースを観戦する体験を共有することができます。またその一方で、従来のオンラインで開催されるＸＲなどのイベントは、盛り上がりがあるものの、参加者は全員違う場所にいるので、「その場所の熱狂」を共有することができません。しかし今回渋谷で開催された「AIR RACE X」は、**多くの人が渋谷という一つの場所に集いXRを通じてエンターテインメントを共有し、同じ場所でその興奮を多くの人とシェアできるという行動体験が可能です。**

このリアルの会場とバーチャルな参加方法は、今後全く新しいスポーツの参加や、観戦方法へと繋がっていくと考えています。

XRを使った地方の活性化

空間コンピューティングは、渋谷のような大都市でのイベントだけでなく、地方都市でも活用が可能です。むしろ、今問題になっている過疎化をはじめとする地方都市の様々な問題に光明を見出す多くの可能性を秘めています。

その一つの事例として、新潟市による、「NIIGATA XR PROJECT」という取り組みをご紹介いたします。

全国の地方都市が今抱える大きな問題の一つとして、県外転出者数の多さが挙げられます。新潟もその一つの都市で、2016年以降の県外転出者数は年を追うごとに増加傾向になっています。

中でも20歳から24歳の転出が多く、人材を首都圏に送り込んでしまっている状態にあり、新潟市としてはこの状況をなんとか打破したいというのがこのプロジェクトの最初のきっかけでした。

新潟市は、リアルな世界とバーチャルの世界を融合させたXRの技術を活用して新しいビジネスを作り出すことで、それに関連するデジタル産業をはじめとする地域の産業を活性化させることを目的に、プロジェクトをスタートさせました。これを実現するには、XRを展開するために必要な3D都市モデルを整備しつつ、その3D都市モデルを使ったユースケースを開発することが必要でした。

3D都市モデルの作成やクリエイターの育成には当然費用がかかるのですが、新潟市は積極的に補助金制度を整え、新潟市の企業がXRを使ってコンテンツを制作できるようにサポートしました。「STYLY」はこのプロジェクトにおいて行政の標準プラットフォームとして採択され、ユースケース開発のお手伝いをしました。

繁華街がある古町というエリアの3Dデータを、新潟市の地理情報システムを提供する会社が主導しながら整備し、そのデータをXRテンプレートとして「STYLY」上で公開しました。これによって新潟市のクリエイターや企業がXRコンテンツを無料で制作し、新潟の街に公開することが可能になったのです。その制作の仕方を学ぶ新潟XRスクールも同時開催することで、クリエイターと地元の企業がタッグを組んで、お祭りやイベントにXRを加える形でコンテンツが増えていきました。2024年4月には新潟XRマップという、街の中のどこで作品が見えるのかを記載したマップも配られています。

新潟XRのマップに従って街の中でスマホやタブレットなどのデバイスをかざすと、3Dのキャラクターが踊っていたり、今行われているイベントの詳細が会場の外壁に表示されたり、XRを地元の人が作って地元の人が活用するなど、地産地消のコンテンツとして楽しまれています。このXRの空間に展開されるコンテンツを、学生や企業などに自由に制作し活用してもらうことで、新潟のイメージを、「空間クリエイターが生まれる街」として根付かせることにも繋がっています。このように、XRを使って都市を活性化させようとする動きがじわじわ広がりを見せています。

XRを使って「自走」できるエコシステムを

私たちはこの新潟での取り組みを「新潟モデル」と呼んでおり、このモデルを全国のあらゆる都市に横展開したいと考えています。

新潟モデルをより具体的に説明しますと、①行政の公式プラットフォームとして「STY

LY」を活用し、XRコンテンツを都市に配信できるようにする。②XRを学べる学校を現地に開校し、地元の企業や教育機関の方々にXRを使ったイベントの制作、運営手法を学んでいただく。③イベントを実際に開催してフラッグシップとなるコンテンツを作り、集客する、といった形です。この取り組みを通じて、XRを作るツールの使い方だけでなく、「地方における行政や企業の課題解決」をテーマに、実践的な学びを深めていただけたと思っています。

新潟市との取り組みは2024年度時点で3年目になりますが、今では様々なXRとのコラボレーションイベントが現地で行われています。

この新潟における「NIIGATA XR PROJECT」は、XRを活用してリアルとバーチャルを融合させ、新潟を訪れる観光客はもちろんのこと、新潟に住むみなさまに今まで体験したことのないような価値を提供していける取り組みだと思っています。

このプロジェクトのポイントは、もちろんXRの最新技術を使って地方都市を活性化させるというアイデアの新しさもあるのですが、XRを学べる学校を作り、そこに地元の若い人たちを集めてプロジェクトのコンテンツを彼ら自身に作ってもらうという点にあります。

1年目はXRの世界に詳しい私たちや講師などが深くコミットし、企業やXRのコンテンツづくりを学びたい人たちにノウハウを伝えていき、一緒に作品を作っていくような活動をします。

そして翌年には、スクール等のコミュニティは継続しつつも、私たちや講師はあくまでアドバイスや助言をするだけに留まり、基本的にはＸＲを使ったコンテンツで街おこしをしたいと考える企業や参加者の自主性を大切にします。

そして３年目で、その地域の人や企業だけでＸＲスクールの運営からＸＲを使った企画および制作までを完結できるようになることを目指します。

地元の方たちによるＸＲを使ったアイデアには、やはり私たち外から来た人間には思いつかない新潟らしさに加えて、観光客に喜んでもらうだけでなく、地元の人たちがより楽しめる身近な工夫が多くありました。

たとえば、２０２２年11月に開催された「新潟まつり花火ショー」というリアルの花火大会の時に、信濃川やすらぎ堤において「天空ＡＲゲームセンター」というイベントを開催しました。これは会場に来ている方がスマホなどのデバイスを使って空間上に現れるＡＲで、「モグラたたき」「射的」「ブロック崩し」などのゲームを楽しむことができる企画です。新潟らしさに、昔ながらの身近なお祭りがよく融合されていますよね。

この花火大会の企画以外にも、実際にある建物の中などにＡＲで水族館を出現させる「フルマチＸＲ水族館」や、新潟出身のVTuberである「越後屋ときな」が都市空間をステー

新潟市の商店街広場などで体験できる「フルマチXR水族館」

ジにして踊りと歌を披露するXRのライブコンテンツなども制作し、街なかで様々なXRイベントが開催されるようになりました。

XRを使った取り組みで大切なポイントは、現実世界で実施していた取り組みを全てXRに置き換えるということではなく、今までの知見や文化の上にXRという新しい取り組みを乗せて価値を高めていくこと、つまり共存です。

たとえば、観光の場合、今までは観光する前はチラシやWEB媒体などでその場所のことやイベント内容を知り、観光している途中は看板などでその場所で開催されている催し物などを知り、観光した後はお土産やSNSによる発信などでその土地の魅力などを知るという広告の手法が取られていました。

そしてこの**リアルな広告手法に、ARを活用した演出や広告、ガイドやマップを取り入れることによって**

現実が拡張され、観光客の体験度をより高くすることができるようになります。これらによって、3Dを使った新しい観光資産を生み出すことが可能になるのです。

私たちは昨年までは新潟市との取り組みに深くコミットしていましたが、2024年以降は徐々に参加する市民をサポートするという立場に移行していきます。来年以降新潟市が自らこれらのイベントやスクールを企画制作し、どんな催し物が開催されるのかとても楽しみです。

このような取り組みがもっと広まり、空間コンピューティングのビジネスにおける可能性が認知されるようになると、若い人の間で新潟市が最先端で、空間コンピューティングを学んで実践できる進んだ都市であることが伝わっていき、人口減少の歯止めの一助になるかもしれません。

また、XRを使った新しいコンテンツが数多く生まれることによって、流行を使い回したアイデアではなく、地元の人たちでしかひらめかないアイデアも出てくると思います。その発想と空間コンピューティングを活用する技術を使えば、新しい価値を生み出し話題を呼び、既存の状態では観光資源のない土地でもインバウンドの波に乗って外国人観光客を呼び寄せることが可能になり、ゆくゆくは地方企業の活性化に繋がるかもしれません。

自然界において、そこに生きる生物とそれを取り巻く環境が互いに作用しながら持続する状態を「エコシステム」と言いますが、経済やビジネスにおけるエコシステムとは、色々な人間や企業が支え合い繋がり合いながら、それぞれが存続できて各々の価値やパフォーマンスを高めていける関係のことを意味します。

私はビジネスにおいて、このエコシステムの構築が大切であると考えています。なぜならテクノロジーの価値というのは時間と共に毀損していくもので、たとえば何か素晴らしいテクノロジーを生み出せたとしても、それを発表した瞬間に世界中にいる天才たちがすぐにそれを凌駕（りょうが）するテクノロジーを開発してしまうからです。

また、テクノロジーというのはすぐにコモディティ化・均一化されて、差別化することが難しくなってしまう性質を帯びています。

新潟市との取り組みにおいては、このクリエイターエコシステムを構築してもらいたいので、私たちはお伝えできる技術と知識は全てお渡しして、4年目以降はツールの提供とテクニカルサポートに注力し、運営には極力関わらずに新潟市だけで自走できる事例を作っていきたいと考えています。

そしてモデル都市である新潟の事例を、日本中の多くの都市が参考にすることで、日本中の都市や街がXRを通して活性化したり産業が生まれたりするような未来が来れば、リアルメタバースのコンテンツを使った「デジタルモノづくりに強い日本」が復活すると考えてい

ます。

リアルな世界だけを考えてビジネスをやろうとすると、そこには空間的な制約が生まれてしまいます。しかし、リアルにバーチャルな空間を重ねてその中でビジネスを行うことができれば、そこには無限のレイヤーを重ねることが可能になります。

日本中のあらゆる街に、多くの人がレイヤーを重ねて、たくさんのコンテンツを量産していく。それが幾重にも重なって利用されることで、新しい行動が生まれそれが消費へと繋がっていき、新たな産業が生まれて経済が回っていく。そんなワクワクするような未来が来るのはそう遠くはないでしょうし、そんな未来が実現すれば、もしかすると日本は世界から**「空間コンテンツ大国・日本」**として大きな注目を浴びることが可能になるかもしれません。

終章

2050年、
日本が再び世界をリードする

「信用」が重んじられる時代に価値が高まる空間コンピューティング

ニュースなどでよく取り上げられてご存知だと思いますが、日本の人口はかなりの速度で減少しています。

厚生労働省の推計によると、２０２０年に１億２６１５万人だった日本の人口は、50年後の２０７０年には８７００万人に減ります。高齢化も加速し、２０２０年に65歳以上の人口は28・６％でしたが２０７０年には38・７％に増加します。

人口というのは国力に影響を与える一つの大きな要因ですが、それに加えて今の日本は昔のような「モノづくり大国」と呼ばれていた時と比較して産業に力がなく、円安もますます進行していくことが考えられます。そうすると海外の労働者も日本で働くよりも他の国のほうが稼げるよね、ということに気づき始め、労働人口を増やすことが難しい未来が到来します。

さらに２０２２年に80億人弱だった世界の人口は、近い将来１００億人になると予想されていて、世界的に地域によっては人口が増えている中で、日本の人口は減り続けているという状況下にあります。国民総生産（ＧＮＰ）というのはいわゆる一人あたりの労働力に人口

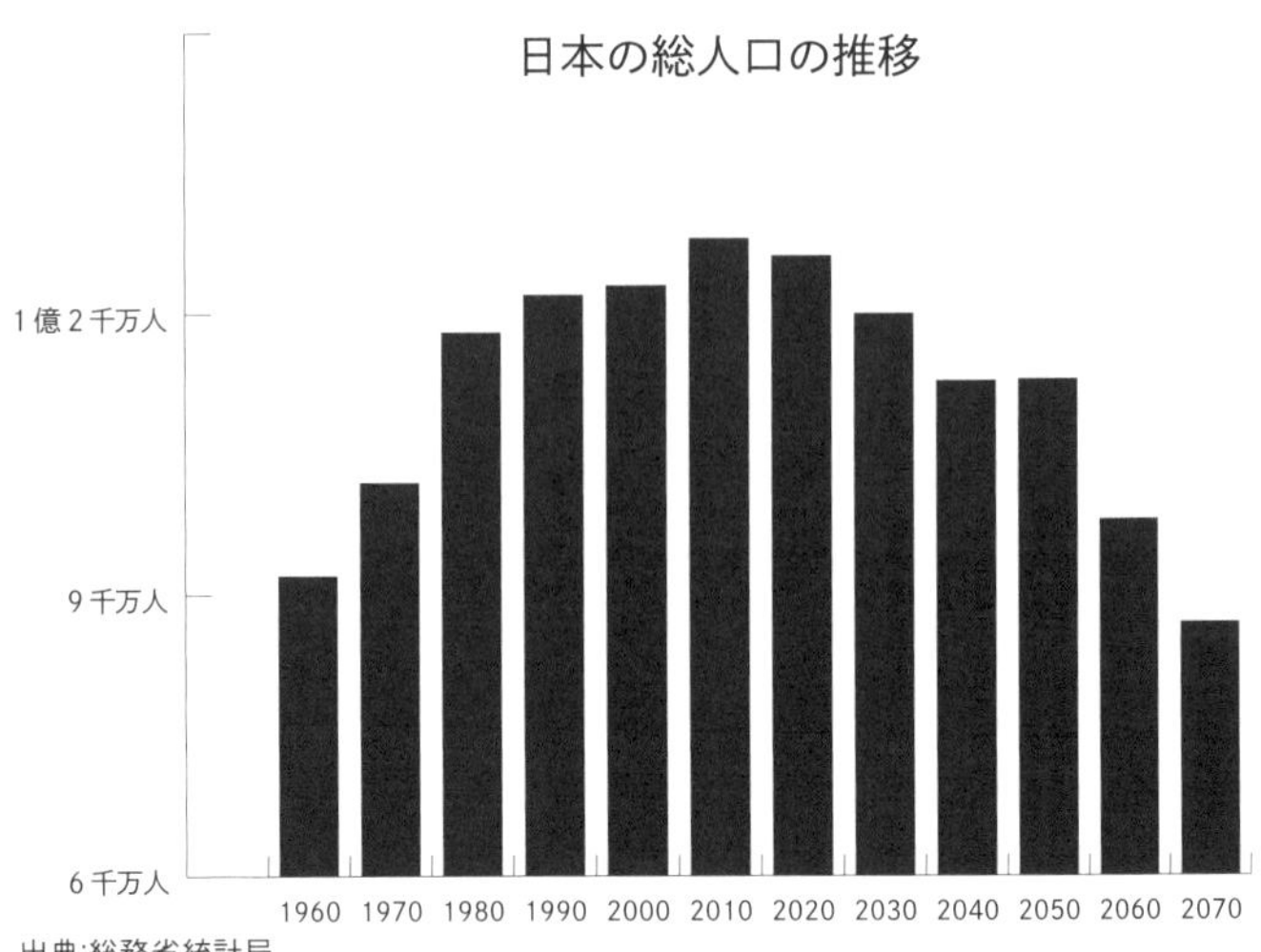

をかけ合わせて算出されるものですから、日本の総人口が減っていくというのは非常にデメリットが大きいのです。

そんな中での勝機となるのはコンピューティングとAIです。各社が高性能の生成AIを開発し、さらに、今回AVPの登場で空間コンピューティングが普及することで、どこでも情報をインプット・アウトプットできる社会になり、**この空間コンピューティングを効率よく活用して日本に再び産業をおこしていくことが一つの勝ち筋と考えています。**

そしてもう一つの大きな変化はコミュニティの規模です。

ここ十数年で、人間の価値観の多様化がより加速してきました。たとえば昔は認められなかった同性婚という考え方が社会的に許容されるようになってきたことなど、「価値観の多様化」が進んでいます。

そもそも人間の作り出した資本主義というシステムの中において、それを円滑に動かすために価値観というものが存在しますが、それが本当に正しいのかというのは誰も決めることができません。

ですから今まで正しいと思われていた価値観も、時代と共に変化していくのは当然です。同性婚もしたい人はすればいいし、そうじゃない人もいる。このように価値観が多様化していくと、多数決では決められない社会になっていき、小さなコミュニティがたくさん生まれてくるようになり、今がまさにレジームの転換期なのです。

過去を振り返ると、日本では何度かのタイミングでこのレジームの転換期が来ていました。

ここ１００年の間ですと、まず日本が軍国主義に走り出した頃の時代です。１９４０年に本当は開催されるはずであった「幻のオリンピック」と呼ばれる東京オリンピックは、内外からの反対の結果開催されませんでした。当時は軍人を中心としたレジームで、全体主義の中で武力が正とされ軍隊を中心に国が動いており、組織の因子は地縁血縁で、自分の子どもを「万歳！」と叫びながらお国のために送り出していた時代です。

それから戦争が終わり、日本は戦後復興期に入り１９８０年代には「バブル」の時代へと突入し、サラリーマンは「企業戦士」と呼ばれる時代になりました。平成の初めには「24時間戦えますか」というキャッチコピーの栄養ドリンクのＣＭが流行し、主体は個人で力はお金で、どこの会社に勤めているかが異性に好かれる要素で、組織因子はお金の縁でした。

そこから2020年になると、組織は軍隊や会社ではなくてコミュニティが中心で、力は武力やお金ではなく信用で、その力を使って皆で動いて誰もが創造者になっていく時代となりました。

そんな時代に、**もっとも人間がより人間らしく存在できるのが、これから到来する空間コンピューティングの時代だと私は確信しています。**

以前は人間が作り上げた社会で生きる上では、皆で決めたルールの上で多数の人間がそれに従って生きるというのが当たり前でした。しかし徐々に隣の人の価値観に自分が合わせる必要がなくなる時代が到来しています。そういう社会になっていくと、AVPを含めた空間コンピューティングの世界でやろうとしている自分だけのパーソナルな空間であったり、好きな仲間たちだけで作る共通の空間づくりがすごく適した社会になっていくはずです。

ブロックチェーン技術がベースとなって作られている分散型インターネットであるWeb3.0の世界観にも近いですが、特定の組織や管理者に依存しないで、同じ価値観を持った人が集まってコミュニティを形成して、データや情報を分散化して個人で管理しながら過ごしていくような社会です。そういう組織体をリアルタイムかつフェアに進めながら個別対応していくことが必要になってくるので、その時に今までのデバイスやコミュニティの作り方が全部一掃されて大きく変わってくるというのがこれからの時代です。

Web3.0というのはある意味でコミュニティとインセンティヴの革命ですから、コミュニティが小さくなってその中で価値を作りインセンティヴの設計をして配布することが可能になります。そしてWeb3.0のキーワードは「仮想化」で、中でも通貨の仮想化が大きな意味を持ちます。

現代社会においては法定通貨を動かさないと様々な物事がワークせず、これがある種の問題を孕(はら)んでいるのですが、Web3.0の世界になり仮想通貨が法定通貨のような価値を帯びてくると様々なことが解決します。ここに空間コンピューティングが大きく寄与することになります。

日本はどうやって再興するのか

今ではまだブルーオーシャンである空間コンピューティング上の世界ですが、これから間違いなく世界中のあらゆる企業がこの分野でビジネスを展開していきます。

しかし日本はこのまま何も対策を取らなければ確実に「インターネット革命」の二の舞になってしまい、日本の優秀な若いクリエイターや技術者は、この国を飛び出し空間コンピューティングでプラットフォームを作ろうとしている世界中のあらゆる企業に就職するでしょう。給与も含めた条件が圧倒的に外資の会社のほうが良いですし、今は円安ですからなおさら海外の経営者は「ストーリーづくりやおもてなし体験は日本人が圧倒的に得意だから、日本人を採用しよう」という動きになっていくはずです。

そして若くて優秀なクリエイターも、日本で年収300万〜400万円で働かされるのと、海外の企業で年収2000万円で働けるのとでどちらを選択するのかという状況になったら、多くのクリエイターは海外を選ぶでしょう。

そういう状況が現実のものとならないために、**堕ちた日本が再び浮かび上がるためには何が必要なのか？　それは日本が得意とする「コンテンツづくり」を武器にしながら、空間コンピューティングを活用して日本ならではの付加価値を生み、ビジネスにしていくことだと思います。**

情報革命に乗ることのできなかった私たち日本人は、GoogleやApple、AmazonやLINEといった情報をビジネスにするプラットフォームに乗った生活をし、気づけばそれら海外のプラットフォームに知らぬ間に莫大なお金を投下しながら生活するというスタイルを選ぶことになりました。

しかしこの先、**空間コンピューティングが普及する世の中になると、「情報」と「リア**

ル」が組み合わさった世界に入っていくことになります。そうした世界になるとより価値を持ってくるのが「体験」です。そしてこの体験をエンターテインメントにすることは、世界中で日本人が一番だと思っています。

東京駅のホームで1車両約100席ある新幹線の全車両をたった7分間でピカピカに掃除して、次のお客様をお迎えするJR東日本テクノハートTESSEIという会社のその仕事ぶりや立居振舞は、外国人観光客を感動させ、国内外のテレビでそのプロフェッショナルな「おもてなし」ぶりが何度も取り上げられています。

この事例ばかりでなく、今まで日本が何度も世界を感動させてきたモノづくりにおけるきめ細かさやサポートの厚さなどは、空間における「体験」を作るのに強力な武器になります。

そして1990年代に起きた情報革命に乗ることができなかった結果、凋落した日本が世界ナンバーワンの大国になれる最後のチャンスが、この空間における体験を量産していくことなのです。

インターネットの普及によって約30年近く、私たち人類は情報が中心となる社会で生きてきました。しかし空間コンピューティングの時代が到来すると「リアル」と「情報」が組み合わさった世界が到来します。すると情報だけでなく立体的な体験を作ることによって、そこに大きな価値が生まれビジネスチャンスが拡大します。

それはバーチャル空間をどう作るかということではなく、**今あるこの現実世界をどう拡張させるか、モノづくりや体験づくりが得意な日本文化を活かして、空間コンピューティング上で何をするかがポイントで、これが日本がもう一度世界の大国になれる最後のチャンスなのです。**

空間コンピューティングにおけるコンテンツづくりで大切なことの一つが、どんな空間に何をどのように構築するとわかりやすく、かつユーザーが快適に感じるかという点で、日本人が得意な「おもてなし」の精神がすごく有利に働きます。

そして先にも少し触れましたが、単に「点」の空間を作るのではなく、物語性に溢れた空間がカギとなりますが、この部分でもストーリーづくりを得意とする日本人が活躍できると考えています。

私は日本人の武器である「おもてなし力」というのは、どこに、どういう順番で、何を置けば、それを体験している人が心地よく感じ、より感動するのかという、「ストーリーを組み立てる力」だと考えています。

そして、この強力な「おもてなし力」があれば、人に感動を与えられる「空間」を作ることができます。空間というのは一種の舞台でありプラットフォームのようなものです。海外で作られたプラットフォーム上で何をするのかを考えるのではなくて、「おもてなし力」で紡ぎ出した空間（プラットフォーム）で何をするか、何ができるかを考えることが大切なのではないでしょうか？

この先、空間コンピューティングの世界に入ることができる便利なデバイスが次々と開発され改良されていき、その空間を誰でも作れるプラットフォームがもっと整備されていきます。そして空間コンピュータ上でのビジネスの可能性が広がっていくと、この世界でチャレンジしていこうと考えている若者が日本に留まり良質なコンテンツを量産し、それを見た海外で活躍する優秀な日本人たちが日本に戻ってくることでさらに日本が世界から注目されることになります。

そして日本が空間コンピューティングにおけるシリコンバレーのような場所になれば、海外からも優秀な若者が集まり、資本が投じられ産業や文化が生まれていくでしょう。そしてこれが現実となれば、おそらく２０５０年頃には「モノづくり大国・日本」と呼ばれていた時代が再びやってくる、いや、あの時代よりももっと魅力的な国になり、世界をリードすることができると私は信じています。

スマホがなくなる日、世界はもっとシンプルになる

空間コンピューティングの時代になると、あらゆる空間がコンピュータと繋がり、TPOに関係なくインプットやアウトプットが可能になる。そんな世界を魅力的に感じる方もいる一方で、勘弁してくれと思う方もいるかもしれません。

スマホを仕事で持たされるようになってから、上司からは常に連絡が入ってくるわ、取引先からは休みに関係なくメールが来るわ、休みの日も気づけば情報で溢れたSNS漬けになっている自分がいるし、空間コンピューティングなんて出てきたら、情報に囲まれた世界が加速しそうだし息苦しい人生になりそうだ、そう思っている方も多いかもしれません。

しかし私はその時代の到来によって、**情報に溢れた世界と逆の世界が到来すると考えています。つまり、あらかじめ自分でコントロールして必要な情報だけを必要な時間にインプットすることができるようになるのです。**

テクノロジーの進化の恩恵を受けて、私たちはテレビから、パソコンから、そしてスマホから膨大な量の情報を受け取ることができるようになりました。

また今までテレビという一方的なメディアが中心だったのが、パソコンやスマホが普及し

て双方向で情報をインプット・アウトプットできるようになりました。

とても便利になった半面、煩わしくて雑な情報も入ってくるようになりました。というよりもむしろ、自分にとって本当に必要な情報のほうが少なくて、本当にどうでもいい情報に目や耳をさらさなくてはいけない、シャットアウトできないような状況にもなっています。

タレントのゴシップ好きな方には面白い情報なのかもしれませんが、どこかの芸能人が結婚した、離婚した、捕まった等のニュースは興味のない人には本当にどうでもいい情報です。

その一方で、雑音や自分に興味のない情報だと思われていたものが、実は自分にとってとてもためになる可能性を秘めていたりもします。

空間コンピューティングが成熟した世界になると、これら情報のコントロールがよりパーソナルにカスタマイズされ、「雑音の度合い」もその人に合ったようにコントロールされるようになるでしょう。

そしてその雑音の度合いも自分でコントロールできるようになると、こういう情報は欲しいけど、こういうのはシャットアウトして欲しい、といったようなことが可能になってきます。

また、これからの時代は、既存の様々なメディアも空間を使って情報を発信するようになり、「空間のメディア化」が起きるようになるでしょう。

街を歩いていると、ビルボードや屋外広告がたくさん見られます。都市というものは古くからこれら看板を通じて街に生きる人々に情報を提供してきました。近年ではデジタル技術を応用して、デジタルサイネージなどの新しい広告手法で様々な情報を生活者に伝えることが可能になっています。しかし看板など物理的な場所には限界がありますし、すでに街の中にある企業の広告が置かれていると、その街全体を活用したプロモーションを実現するのは難しいのが現状です。

しかしバーチャルの広告やコンテンツを実際の都市空間に重ねて設置すれば、その空間をメディアにすることが可能です。またその空間にストーリーを生み出して街を訪れた人の回遊性を高めれば、都市全体を使ったプロモーションに活用することが可能になります。

少々話が脱線しましたが、**つまり近い将来、生活を情報で溢れさせることも可能になりますし、自分が必要な情報だけを取捨選択し、あとはシャットアウトすることが可能になると同時に、入ってくる情報源も今までのようにテレビやスマホだけではなくて、街の中のあらゆる空間になるということです。**

とはいえ、自ら情報を取りに行かないと基本的に自分には必要のない情報ばかりが入ってきてしまう、という状況は多分今も未来も同じで、自分の意思で情報を取捨選択するという点は基本的には変わらないと思います。

ただ情報の取捨選択という意味において、未来はおそらく自分に加えてパートナーのような存在であるＡＩが情報の取捨選択をサポートしてくれる時代になるはずです。

たとえば、ファッションに関する情報を入手するのに、昔は雑誌が主流でした。そこから人はインターネットで情報を見つけるようになり、そこから機械学習アルゴリズムが開発されレコメンド機能の精度が上がり、自分が好きそうなファッション関連の情報を提案してくれるようになりました。

そしてこの先、自分の行動や趣味嗜好に合わせた情報の「エージェント」のような存在が生まれて、より精度の高い情報をユーザーに提供してくれる時代が到来するかもしれません。

そうなると、たとえば看板広告で溢れかえっている渋谷や新宿や大阪などの街も、全員に見せる広告のためのギラギラしたネオンや無駄な建造物はリアルに作る必要がなくなってきます。これからは、サステナブルな社会がライフスタイルの基盤であり、ビジネスの常識となっていくでしょう。

昨今アパレルブランドのＤＸは、無駄なものを作らないためのソリューションが多く出てきています。試作品を作らない仕組みもＸＲで実現できるでしょうし、価値観は大きく変わっていくと思います。そうなると無駄な電気を使って自然環境を破壊する、現代の電光掲示板や建築のあり方も大きく変わっていきます。

無駄なものは作らず空間コンピュータが人に合わせて表示するものとなり、人々が空間コンピュータを通じて見る世界は、より自分にとって有益で楽しくハッピーになり、でもリアルの街は地球にやさしくシンプルになっていくでしょう。それが**「空間コンピュータで街をサステナブルにする」**というところまで持っていけたら、日本は街づくりを海外に輸出できると確信しています。

やりたいことを諦めなくてよいミライへ

ここまで読んでいただいて、空間コンピューティングの可能性を片鱗でも感じていただけたでしょうか？　この世界をもっと深く知りたい、そして事業を立ち上げて一旗あげてみたいという志がある方は、スマホがなくなる日にどんなビジネスを展開して人々をワクワクさせたいか、想像していただけると嬉しいです。

そして、この空間を作り出せる技術は本当に近い将来、誰もが知っている当たり前のものに必ずなっていくので、その時を妄想し日常生活やプライベートでこういう使い方をしてみたいと、アイデアを模索していただけると、より楽しい未来が待っていると思います。

『Second Life』の世界にのめり込んでから、私はメタバースの可能性を模索し続けてきました。そしてメタバースにおけるビジネスの可能性を探っている時に、偶然にも今の会社の創業者・山口征浩との出会いがありました。

とある素敵なジャズの流れるライブハウスで、隣に音楽も聴かないで夢中でiPadを触り続けているオッサンを紹介されました。画面を覗いてみると、彼は3Dの石のグラフィックをぐりぐりといじっていたのです。その質感は当時では素晴らしく、立体感や石の表面の感じが信じられないほどリアルで、今まで私がVR空間で見てきたグラフィックがとても安っぽく見えたほどです。「すごいでしょ」と得意げな顔をした彼に興味が湧いて、色々と見せてもらいました。それが山口との出会いです。

よく天才と変わり者は紙一重と言われますが、変わっている人だなーと胡乱な目で見つつも、もしかしたら天才か？　と大きな可能性を感じていました。同時に変態の可能性もあったので、まあよく一緒にやろうと思ったなと、今思うと何の疑いもなかったのはある意味運命だったのかもしれません。

当時私は政府関係のとある仕事をしていたのですが、気づいたら山口の会社に出資することになり、気づいたら事業を手伝うことになり（しかも無給で1年間）、気づいたらＭＩＴ出身の超優秀なエンジニアである半面、少々コミュ障な山口の代わりに空間コンピューティングの可能性を世の中に伝える役割を担うことになりました。そしておかげさまで、このような本を執筆する機会を得ることができました。

私個人の話で恐縮なのですが、自分はインクで街中を塗りまくって遊ぶゲーム『スプラトゥーン』が好きでよくプレイするのですが、空間コンピューティングの世界が到来したら実際に街中で思い切り体を動かして、大企業が入るビルを汚しまくったりしてみたいなぁなどと妄想しています（笑）。

また、普段からＦＸ取引が趣味で常にチャートが気になる性分なので、今はパソコンを開いたりスマホを見たりしないと取引できないですが、将来はたとえば想定したシナリオが来たらチャートと取引画面を出してくれて、瞬（まばた）き一つすれば取引ができる時代が来たら仕事しながら取引できて楽だな、と考えたりもしています。

空間を作ることが得意な日本人がこれからの時代は世界をリードする、などとスケールの大きな話をさせていただきました。もちろんそうなれば最高なのですが、空間コンピューティングが活用される世界における最大のメリットの一つは、私たちの情報処理能力の向上でしょう。

これまでの「副業をしたいけど時間がない」「仕事も子育てもしたいけど両方は難しい」など、**時間的・空間的制約でやりたいことを諦めていた時代は終わり、様々な制約から解放されて自分の可能性が今よりも広がります。**

そして、仕事を効率よくこなすことができると長期の休みを取得することも今よりもっと簡単になるでしょうから、仕事をしながら世界一周旅行をすることも夢ではありません。そんな時代が到来することで、リアルな日常が今よりももっと豊かになり、色々な夢や目標も叶（かな）えやすい世界になることを願っています。

また、遠くに住んでいる海外の人とのコミュニケーションも、本当にその場にいるかのように会話ができるので、言葉の壁はもちろん距離の制約などがなくなり、容易になるでしょう。

このように、空間コンピューティングの広がる世界は、無限の可能性を秘めています。

本書のタイトル『Apple Vision Proが拓くミライの視界　スマホがなくなる日』の「ミライ」の文字は、中国から生まれた漢字の「未来」ではなく、日本で誕生したカタカナで表現しました。そして「堕ちてしまった日本が再び世界をリードする！　世界のミライを創っていく」という想（おも）いを込めました。

スマホがなくなる日、次世代のデバイスで日本発信のコンテンツを通して世界中の人に感動を与え、私たちの日常も快適さと楽しさで溢れたミライが到来するでしょう。そんな日が来ることを、今からとても楽しみにしています。

109
SHIBUYA
BAUSCH+LOMB
滴る
レンズ
ビリヤード・ダーツ

コラム

スマホがなくなる日、
人類の超能力を解放する——。

We'll free our inner creativity
for the post-smartphone era.

STYLY CEO 山口征浩

人間はこの地球上における生物ヒエラルキーの頂点にいますが、改めて私たち人間の能力というものを冷静に観察してみると、さほどすごいことができるわけではありません。たとえば遠隔透視もできないし、未来予知もできないし、念力を使ったりテレポーテーションなどもできません。

しかし私たちはテクノロジーを生み出し、それを自由に使うことができることによって、人間の能力を拡張することが可能です。一昔前ですとSFの世界にだけ存在したAIをはじめとする様々な技術が今実用化され、ビジネスや私たちの生活で役立つ技術になり始めています。

そしてこれから先もっとテクノロジーが進化すると、人間単体では不可能であったことがコンピュータや人工知能というフィルターを通すことで人間の能力というのは拡張されていくでしょう。

では拡張された人間の能力を使ってどのようなことが可能になるのか？　それは近い将来そうなった時に多くの人たちを巻き込んで考えていきたいと思っています。そしてそんな未来は、一人一人が創り出していくものだと思っています。

今の感覚だと、未来の社会というのは一つだけ生み出されるイメージですが、それが一人一人に合った、複数の並行した未来が同時に生まれていくような社会になると私は信じています。現実世界にもバーチャルな世界にも複数のレイヤーを重ねながら人生を送るという現実が誕生するでしょう。

仕事でたとえると、今の時代はたとえばプロジェクトを同時に動かす場合、せいぜい10個か20個の同時進行が人間の限界だと思うのですが、複数のレイヤーを重ねて生きていく時代になると、それが300万世界とか1億世界を同時に歩めるようになるのではないかと思っています。自分自身のアイデンティティーを持ったAIが、自分の仕事を勝手に並行で行ってくれて、しかもそのAIは自分がベースになっていますが勝手にどんどん進化していって別の新しい仕事やプロジェクトを生み出すようになるでしょう。

VRの研究でアバターが物理的な現実の肉体に及ぼす影響というものがあるのですが、バーチャル上の肉体に痛みを与えると実際の肉体も痛みを感じたり、バーチャル上でアバターがポジティヴなことをするとリアルな人間もポジティヴになれるということが知られています。

そうなってくると、一体私たちの自己の定義というものは何なんだ？　ということになります。今までは自分の肉体であったり自分の中にある意識が「自分」でした。しかしそこからAIによって強化された人格であったり思考のようなものが、もう一つの自分になる世界がやってくるでしょう。

空間コンピューティングの普及した世界の究極形は、そんな時代に人間がすごい数のレイヤーで生きて、様々な価値を生むようになる。これがまさに、「人類の超能力が解放された状態」なのではないでしょうか？

スマホがなくなる日、
私は人類の超能力を解放するためのソリューションを追求しているでしょう。

特別対談①

音楽業界のヒットメーカーが見つけた次なる開拓地は、空間の世界

音楽プロデューサー／ベーシスト

亀田誠治

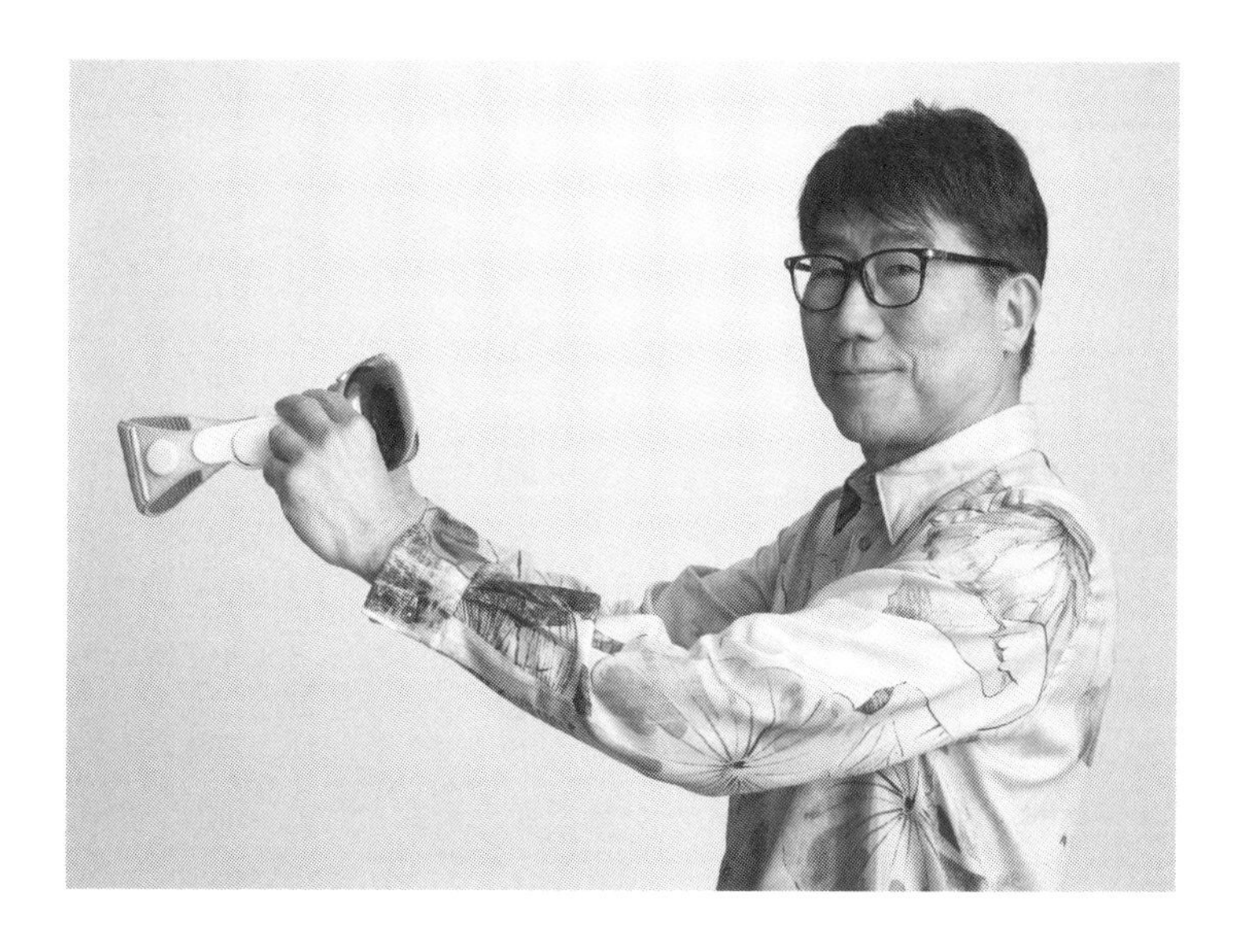

1964年、ニューヨーク生まれ。椎名林檎、スピッツ、GLAY、いきものがかり、石川さゆり、JUJU、アイナ・ジ・エンド、Creepy Nuts、FANTASTICS from EXILE TRIBE、神はサイコロを振らないなど、数多くのプロデュース、アレンジを手がける。2004年に椎名林檎らと東京事変を結成。2007年、2015年の日本レコード大賞にて編曲賞、2021年に日本アカデミー賞優秀音楽賞、2024年には第19回渡辺晋賞を受賞。他、舞台音楽や、ブロードウェイミュージカルの日本公演総合プロデューサーを担当。2019年より開催している、親子孫3世代がジャンルを超えて音楽体験ができるフリーイベント「日比谷音楽祭」の実行委員長を務める。

これまで椎名林檎、平井堅、スピッツ、GLAYなど、数々の日本を代表するアーティストをプロデュースし、ベースプレイヤーとしても第一線で活躍し続ける亀田誠治氏。面白そうなものはとにかく吸収したいという亀田氏が次に目をつけたのが空間コンピュータだ。XR技術を活用したミライの音楽シーンは、これからどう面白くなっていくのか？

空間は広ければ広いほど人生は豊かになる

渡邊　亀田さんは、VTuberなどともコラボされたり、メタバースの世界に積極的な印象を受ける一方で、自身の音楽活動やプロデュースなどのアナログな活動も数多くされてますよね。一見対極のものに感じるのですが、それぞれどんなスタンスで取り組まれているんですか？

亀田　アナログがいいとか、デジタルがいいとか、メタバースがいいとかっていうことは、あまり僕の中では境界線がないんです。音楽を発表したり、出会ったり、活動する場の数が多ければ多いほど、僕らの作っていく音楽であったり、もっと言えば、人生すらも豊かにな

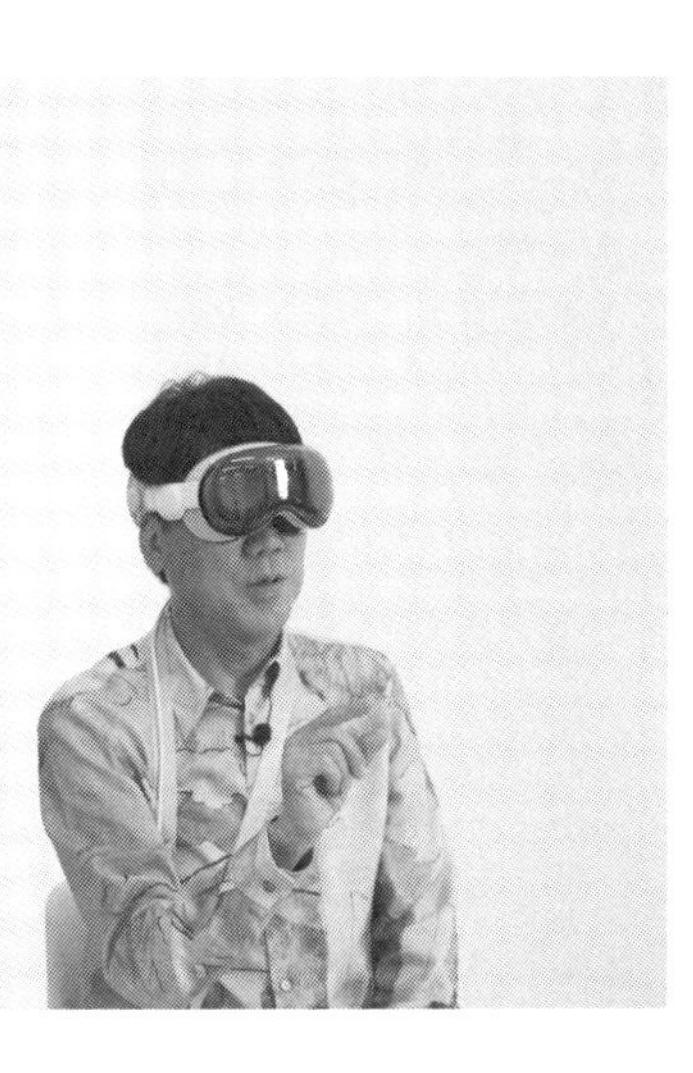

っていくんじゃないかという、めちゃくちゃシンプルなところです。

渡邊　なるほど、全部取り入れていきたい感じですね？

亀田　そうですね。今日、空間コンピューティングのことをもっと深く知って、自分もその世界に飛び込もうと思っています（笑）。ＡＩって、情報をどんどん取り入れていくことによって磨かれていくじゃないですか。僕は本当にそれこそアナログレコード、アナログテープの時代から音楽を作っているので、そんな僕が最新の領域、未来の領域に入ることで、吸収するだけじゃなくて、こちらから何か提供できればとも思っていますね。

空間コンピューティングを体験してみて

亀田　引き込まれるというか、没入感がすごい。視線がカーソルになる、視線で意思決定できるなど、基本動作がシンプルでいいですね。僕たち音楽家は耳の感覚に集中したいので、操作がシンプルなのは嬉しいです。

渡邊　体験していただいて「空間コンピューティングはこんな使い方ができそう！」など、何かピンと来たものはありますか？

亀田　たとえばポータブルプレイヤーが出てきた時、自分の好きな音楽をどこにでも連れていけるという感動がありましたよね。アナログながらも自由を手に入れたというか（笑）。

空間コンピューティングでは、その幅がもっと広がるなと思いました。そして空間を自分なりにカスタマイズすることができ、好きな音楽、聴きたい音楽、観たい映画、それらを自分に一番フィットした状態で体験できる。最高にリラックスして没入できるということですよね。

渡邊　カスタマイズって、昔からしてましたよね。カセットテープにマイリストを作って、好きな子にあげるやつ！　あれって、音楽の力で空間をカスタマイズして、それを好きな子に送ってるんですよね。空間伝送の始まりかもしれません。

亀田　やりましたね（笑）。僕はレコードをたくさん持っていて、「亀ちゃん作ってよ！」と友人に頼まれたりなんかもして、マイリストが自分のアイデンティティーだったりしたんですよね。空間コンピューティングで自分だけの空間を作って、みんなを呼んで、ワイワイ飲みながらマイリストを聴いてもらい、「あの頃の懐かしい感覚を共有して楽しむ」みたいなことを、やってみたいな。

空間コンピューティング時代のクリエイティブ活動

亀田　今のアーティストやクリエイターってめちゃくちゃ進化しているんですよ。演奏も上手いし、ハートもあって、自分の推しポイントもちゃんとあって。たくさん吸収しているから、幹が太い。現代は情報がたくさんあるので、クリエイティブの掛け算が起こって、素晴らしい作品が音楽に限らず色々なところで生まれてくるんじゃないかと思います。

渡邊　なるほど。空間コンピューティングが制作現場に持ち込まれていくと、他のクリエイターと一緒に作品づくりをすることもできると思うのですが、実際の音楽現場って今どうなっているんですか？

亀田　デジタルデータを使ったオーディオの共同制作は行われていますが、「やっぱり同じ部屋で顔を合わせて音を鳴らさなきゃね」というのもあります。僕も時々言います（笑）。でも、空間コンピューティングなら、別の部屋でクリエイティブの環境も同じにすることができますよね。

渡邊　そうですね！　ＡＶＰには、ホログラムで自分の部屋に友人を呼べる機能があるのですが、顔の表情や仕草が伝送されてきます。一緒にいる感覚は今後どんどん進んでいくでしょうね。

亀田　コロナ禍前から、複数人で楽曲制作をするコライトセッションをやっていたんです。

ジャスティン・ビーバーの楽曲などで、作家の名前が20人くらい載っているやつ。僕、あの一人になりたくて……。年1回ロサンゼルスのアーティストの家に行って、気持ちのいいリビングルームに、マイクを立てて、ピアノがあって、そこでわずか1日で曲が完成するみたいな、素敵な空間があるわけですよ。それが空間コンピューティングなら、世界中どこにいてもコライトセッションができる。音楽やジャンルの国境もなくなってきそうですね。

渡邊　場所の制約が一気になくなりますからね。それは大きなパラダイムシフトを起こしそうですよね。オンラインミーティングで仕事のやり方が一気に変わりましたから、その進化版と言いますか……。

亀田　昔はよく、ロスから帰ってくる飛行機の中で一曲作り上げたんだ！　みたいなことを自慢してたんだけど（笑）、場所の限定もなく曲が作れるようになる。どこでもスタジオになるし、そのスタジオは自分のお気に入りの環境にできる。そこに仲間のミュージシャンを呼んで……。これはめちゃくちゃ楽しみ！

ライブパフォーマンスでやってみたいことは？

渡邊　ライブの演出などでは、どんなことが変わると思われますか？

亀田　僕が実行委員長を務めている日比谷音楽祭でも生配信をやっているのですが、リアルなライブと配信のハイブリッドのような、そんな楽しみ方ができそうですよね。それにステージ上で提供する選択肢も無限大に広がるし、受け取り方も無限大になる。

渡邊　舞台演出って結構コストがかかるんじゃないですか？　空間コンピューティングで補える部分も結構あるかと思うのですが。

亀田　そうですね。やはり力強い表現をしていくには、コストがかかります。大規模なステージや照明装置、大規模なコントローラーが必要だとか。もちろんクリエイティブなアイデアが大前提ですが、ローコストで感動体験の可能性が広げられるということには、ものすごく意味があると思います。

渡邊　具体的にやってみたい演出とか、何かパッと思い浮かぶものありますか？

亀田　うーん、なんでしょうね。あっ！　実は僕、あらゆるダンスの先生がお手上げ状態になるくらい、ダンスがダメなんですよ。なので自分のダンスの完成形をぜひ動かして欲しいですね。

渡邊　亀田さんをキャプチャしてリアルなアバターを作ってホログラムの亀田さんを思った通りに動かすことは可能ですよ！　ぜひやりましょう。

亀田　ミュージックビデオでダンスを撮影していて、自分のせいでNGが続いてしまうとすごく申し訳ない気持ちになる。そういう不安から解放されるのは嬉しいですし、技術が人の生活を楽にしてくれる、不安から解放してくれる瞬間って、僕は好きなんですよね。

渡邊　「人の不安を減らせる」、まさしくそのために広がって欲しい技術ですよね。今まで物理的にできなかったことが、空間で表現できるようになる。無理してやっていたことをやらなくてもよくなる。自分の活動の背中を押してくれて、気持ちが今よりも楽に日々過ごせるようになれば私も嬉しいです。まだまだ空間コンピュータは初号機のようなものです。今後軽量化、小型化もどんどんされていくと思います。

亀田　新しい技術に対しては不具合やバグに寛容にならないとですよね。昔コンピュータでドラムのパートを入れるだけで、朝までかかったことありますよ（笑）。今なら何てことないのに。

スマホがなくなる日、どんなことをしてみたい？

亀田　**スマホがなくなる日、僕はその時の気持ちをメロディーに込めて空間を動画で撮って、一切消さずにタイムカプセルにします！**　何十年後とかに、「こんなミュージシャンがいたんだ、こんなおっちゃんがいたんだ。この人、ベース弾きながらなんか歌ってるぞ！　こんな楽器があったんだね！」、そんな風に思ってもらえたら。

渡邊　亀田さんらしいですね。コライトセッションといい、その場の雰囲気をそのまま空間に閉じ込めて保存しておく。ぜひ見てみたいです！　どんどん一緒に貯めていきましょう！

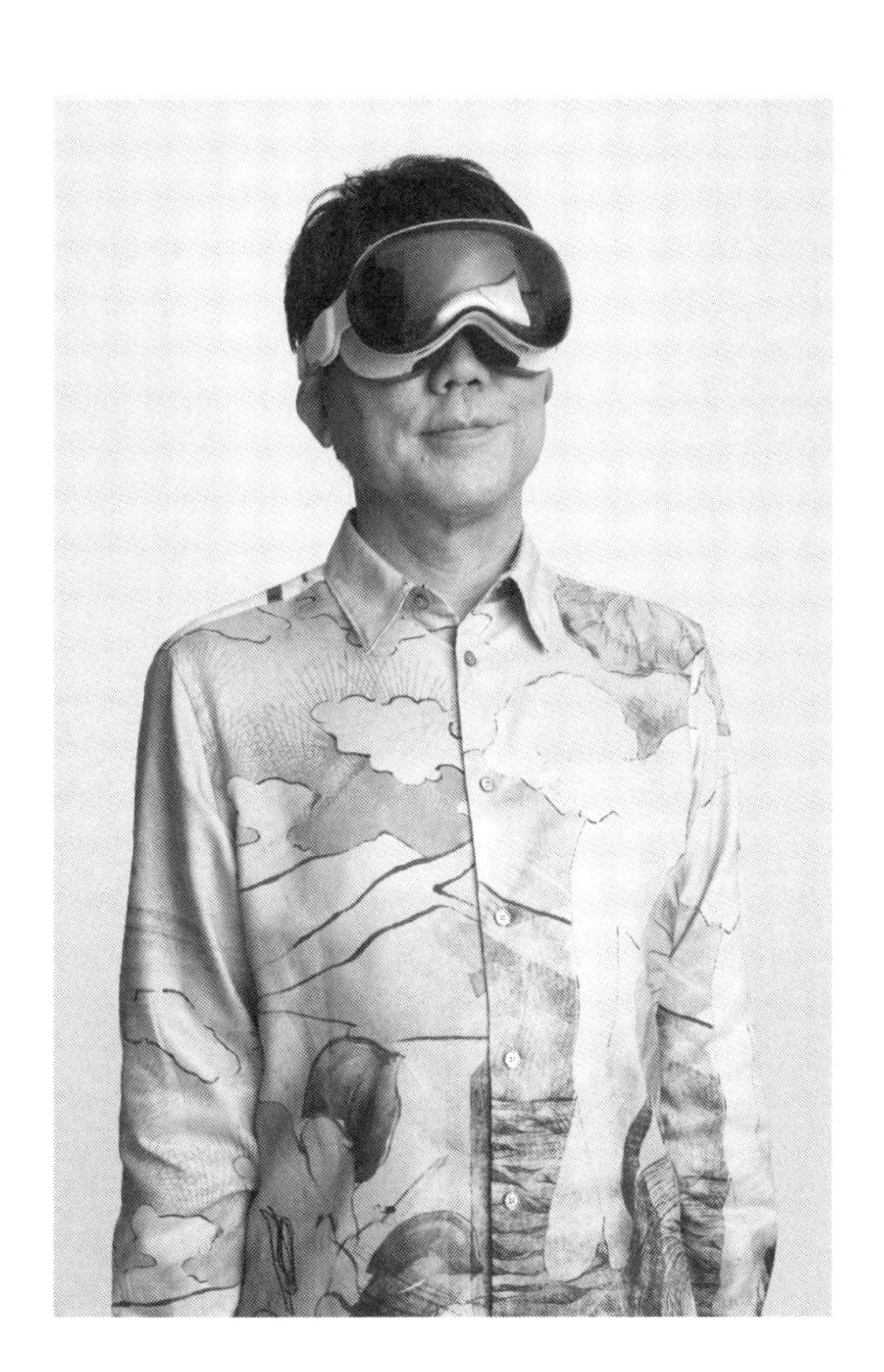

特別対談②

気鋭の映画監督が予想!
空間コンピュータによって激変する
映画製作とは?

映画監督

上田慎一郎

1984年、滋賀県生まれ。独学で映画を学び、2010年に映画製作団体PANPOKOPINAを結成。これまでに『恋する小説家』『テイク8』『お米とおっぱい。』などを手がける。2018年公開の監督作『カメラを止めるな!』が都内2館での上映から口コミで話題が広がり、全国で拡大上映される。TikTok、Xに投稿したショート動画『レンタル部下』が第76回カンヌ国際映画祭の「#TikTokショートフィルムコンペティション」でグランプリを受賞する。

２０１８年『カメラを止めるな！』で日本中を巻き込む大旋風を起こした映画監督・上田慎一郎氏。ＶＲ映画『ブルーサーマルＶＲ─はじまりの空─』や、自身のＳＮＳに投稿している縦型映画など、従来の映画監督という型にとらわれない活動を続ける上田監督が描く、ミライの映画づくりとは？

「シンプルであることのすごさ」を実感したＡＶＰ体験

渡邊　代表作『カメラを止めるな！』でもそうなんですが、上田監督は制限がある中での映画製作が得意なイメージがあります。ＶＲ映画についても、世の中でＶＲという言葉が浸透する前から製作されていると思うのですが、バーチャル技術を映画に取り入れようと思ったきっかけはあるんですか？

上田　ただただ好奇心旺盛なだけじゃないですかね（笑）。人から聞いたり、自分で体験してみて面白いと思ったことは、すぐに取り入れたくなっちゃうんですよ。

これまで、ＶＲ映画や縦型ショートも撮っていますし、あとはバーチャルプロダクションという製作方法も取り入れています。

ＬＥＤディスプレイの背景映像の前で役者が芝居をして、それを合成して作る映画の種類があるんですが、それは普通の映画のようにロケ現場に行って撮影するのではなく、スタジオで撮影をするんです。役者の後ろでＣＧ背景を動かして作るんですね。おそらく日本で、映画として作ったのは僕が初めてだと思うんですけど、そういった新しいテクノロジーを使って、今までにない作品を作るっていうことが好きなんだと思います。

渡邊　なるほど。空間コンピューティングでお客さんによって見るものをコントロールできるようになってくると、たとえばお客さんが同じものを見ていたとしても、途中から人によって展開が変わったりなど、大人数で見ているんだけれどもそれぞれ違うものを見るという、今までにないような作品ができる可能性がありますよね。

上田　『カメラを止めるな！』は、基本的に廃墟(はいきょ)というワンシチュエーションの中を走り回る映画なんですが、視聴者が廃墟に入り込んだ気持ちになって、自分の好きな登場人物を追ったり、それぞれの楽しみ方ができるようにしました。

これから取り組む作品では空間コンピューティングの技術を使うことで、似たようなことが、それ以上のクオリティでできると思っているんです。本当に色々な作品の可能性が広がりますよね。

渡邊 XRの可能性という意味では、AVPを実際に体験してみていかがでしたか?

上田 やっぱり解像度ですかね。想像していた解像度と全然違うので、本当に臨場感もリアリティもあって感動しました。今までのデバイスって、「解像度がもうちょっと高ければ……」と思うことが多かったんですが、ここまでの解像度がついに来たかと思いましたね。

渡邊 AVPは、環境光を3Dオブジェクトがちゃんと反映するような設定でできているので、電気を消すと、画面で見えている景色も連動して暗くなったりするんですよね。音の反響もシミュレートしているので、リアルに、本当の景色がそこにあるように見えるというのが、一つの大きなポイントだと思っているんです。

体験した人の感想で多いのが、「きれい」とか、「本当にそこにいるみたい」というシンプルなものなんです。これが相当すごいポイントなんだと思うんです。

上田　そこに本当に実在する感じっていうのが、とても重要なんだなって改めて思いました。現実に近づけようとしている途中の段階のものだと、少しガッカリ感が出てしまいます。
　体験型のエンタメを作ろうとしている身としては、そこが重要なポイントなんですよね。解像度、リアルさなど、ストーリーに関係ない部分が気になると、お客さんが作品自体に集中できなくなると思うんですよね。だからこそシンプルなんだけど、解像度のすごさに感動しました。超えてきたなって思いましたね。

空間コンピューティングの世界で映画監督の仕事はどう変わるのか？

渡邊　空間コンピューティングを使って、どんなことができそうだと思いますか？

上田　できそうなことはたくさんありますが、映画製作に活かすならロケハンに使いたいですね。スタッフも含めて打ち合わせの場にいながら、本当に現地に行ったかのように視察ができる未来が来るのかなとも思います。会議室などでも、ロケ地の空間を出現させてその場所でリハーサルみたいなこともできますよね。
　現場でしかわからないこと、予期せぬアクシデントみたいなものってあるじゃないですか。

そういう不安要素も拭えるんじゃないかなと思います。

また、リモートで衣装合わせもできそうですね。役者さんやスタッフのスケジュールを合わせるのも結構大変なので、それも実現したら結構助かります。衣装担当の人なんかは、持っていける服の数には限度がありますから、リモートなら試せる衣装の数も増えますよね。

あとは、今はビデオ会議での打ち合わせが当たり前ですが、実際に会うのとでは空気感が違いますよね。でも、もしAVPを使って打ち合わせするのが当たり前になったら、実際に会っているかのようにコミュニケーションが取れそうだなと思いました。

渡邊　それはできると思います！　ビジネスの場でもどんどん浸透していくと思っています。他にも仕事で活躍しそうな場面はありそうですか？

上田　僕は普段、アイデアマップみたいなものをノートに書いたりするんですよ。今は平面で書き留めているアイデアマップなんかも、空中に浮かせて自由に入れ替えたり、眺めたり、その中を歩き回れたら、話し相手とも共有しやすいですし、考えていることがより伝わり、アイデアもまとまりやすくなりそうです。

考えているうちに、色々やりたいことが出てきちゃいました（笑）。もはやデスクワーク

は座ってやるものだという常識すらも変わってくるんじゃないかなと思います。世の中から椅子がどんどんなくなっていくかもしれないですね（笑）。みんな立ったり歩いたりしながら仕事するのが当たり前の未来が本当にくるかもしれないです。

渡邊　私たちは今、ディスプレイとキーボードに縛られている気がするんですよ。表示させたい資料がたくさんある人って、並べるモニターを2台とかに増やしたりするじゃないですか。それの究極形だと思ってるんですね。空間自体がモニターになって、しかもそれを好きな場所に配置することができる。キッチンにメモを置いておいて、仕事場には資料を置いておいて、リビングには趣味のものを置いておくみたいなことが可能になりますから。

空間コンピューティングでどんな映画を作ってみたい？

上田　今後僕がバーチャルを活用してぜひやってみたいと思っていたのが、映画のシーンを実体験する企画です。お客さん自身に、いろんな映画のシーンを体験してもらう。たとえば、怖いシーンばかりがどんどん迫ってくるというコンテンツや、上から天井が迫ってきたり、でっかい大蛇に襲われる、虫が体中を這(は)いずりまわるというような……。

映像を見るんじゃなくて、主人公として実際に体験できるものを作れないかなと思いました。

その作品の実現のために重要なポイントの一つが、空間コンピューティングの解像度なんですよね。体験して解像度の高さを実感したので、本当に怖いコンテンツができると思います。早くみんなにも体験して欲しいなぁ。

渡邊　このリアル感で、虫が足から登ってきたら相当気持ち悪いですよね。考えただけでも恐ろしいです（笑）。

上田　さっきＡＶＰで、恐竜の画像を見た時に、「恐竜が出てくる夢を見てるみたいだな」って思ったんですね。劇場で映画を見ている人でも、「起きて見る夢」って表現する人がいるんですよ。これは本当に「起きて見る夢」が表現できるんじゃないかと思っています。

渡邊　なるほど、現実と夢とがミックスされて、起きてるんだけど夢を見ている、みたいなことですか？

上田　そうです。だって本当に恐竜が目の前にいたんです（笑）。でもそれは現実じゃない。どう言えばいいのか難しいですが、本当に夢みたいなんですよね。「没入感がすごい」っていう表現の、さらに上の感覚ですかね。新しいコンテンツの可能性をすごく感じました。

スマホがなくなる日、どんなことをしてみたい？

上田　**スマホがなくなる日、自分博物館を作って仲間を呼びたい**です。

今のスマホってアルバムがあって、そこに写真だったり、ビデオだったりが入ってますよね。それらが未来になったら、もう立体のアルバムみたいな仕様になっているんだと思います。今よりもっと、入り込めるような記録が撮れるようになっていると思うんです。

立体的な写真や立体的な映像を空間に自由に並べて、自分博物館を誰でも作れるような未来になっているはずなんです。そして遠い距離に住んでいる人でも、「今日何時から自分博物館やっているから来てー！」と世界中から友達を呼んで、一緒にその博物館の中をコミュニケーションを取りながら歩き回ることができたら面白いなって思いました。

渡邊　２０４０年くらいになったら、現代の単なる写真ではなくて、写真をＡＩが立体にしてくれて、そのシーンに実際に入れたりもするかもしれませんね。写真や動画に入って、その思い出を語ったり、「このスイーツ美味しかったよね」「またここ行きたいね」とか、そんな体験型の写真にＡＩが先行してくれると思いますね。

上田　今だとお祭りの写真を見ながら「5年前に行ったあのお祭り、めっちゃ楽しかったよね」と会話をしたりしますが、将来はその写真の中に入り込めるってことですね。
その時にあった屋台とか、花火とか、お祭りの雰囲気をいつでも再現できて味わえるようになったらすごいですね。焼きそばの匂いとかも再現できたら本当にすごい。何かタイムマシーンみたいな感じですよね。

渡邊　リアルとバーチャルを融合させて、タイムマシーンが作れちゃいますよっていうことなんだろうなと思うんですね。

上田　タイムマシーンより先にできそうですよね。過去を記録さえしておけば、いつでも過去に戻れる。もう一回味わいたい経験っていうのは、誰にでもあるでしょうから、すごく夢がありますね。

渡邊　だから意外と今のスマホの中の写真データ、大事かもしれないですね（笑）。

特別対談③

商業施設は「浴衣を買いに行く」場所から、「浴衣を買って、花火大会も楽しめる」場所へ

J.フロント リテイリング 執行役常務 デジタル戦略統括部長

林 直孝

1968年、大阪府生まれ。パルコ入社後、全国の店舗、本部および、WEB事業を行うグループ企業のPARCO CITYを経て、2013年よりパルコのデジタルマーケティングおよびオムニチャネル化の推進や、ショッピングセンターのDXを具現化するため、「デジタルSC(ショッピングセンター)プラットフォーム」戦略の推進を担当。2022年よりパルコ、大丸松坂屋百貨店等の持株会社であるJ.フロント リテイリングでグループ企業のデジタル戦略の推進を担当。

「買い物をする場所じゃなくて、新たな体験ができる場所」。そんなアイデンティティーを持つ商業施設PARCO。2019年の渋谷PARCOリニューアルオープン後は、吹き抜け空間を使ったバーチャルアート展示など〝VR技術〟の活用に乗り出している。当時のPARCOの担当者が語る、〝新しい買い物体験〟とは?

VRとの出会い、そして可能性を感じた瞬間は?

渡邊　PARCOでは、VRやメタバースという言葉が流行る前からイベントなどをやっていましたが、私たちSTYLYが提唱する、「空間を身にまとう世界がやってくる」というフレーズの、どんな部分に共感いただけたんでしょうか?

林　我々としては、2016年が節目でして。その年は「バーチャルリアリティ元年」とか「VR元年」と言われていた年で、世の中がかなり盛り上がったんですよね。

たまたまその時期に、渋谷のPARCOが建て替えのため一回クローズすることになり、その一環でVRイベントをやったんですよ。

渡邊　どんなイベントだったんですか？

林　ＶＲを活用した野外シークレットライブを行いました。ライブ会場はＰＡＲＣＯの屋上。渋谷の街なかなので大きな音は出せませんし、屋上のスペースも限られているので、観客のみなさんにはヘッドフォンをつけてライブを楽しんでもらいました。

同時に試みたのが、館内にも別会場を作り、ＶＲゴーグルをかけてもらって、リアルなライブ映像をお届けしたんです。しかもライブ中のアーティストから見たアングルの映像を中継しました。

私も体験したのですが、バンドの一員になったかのような、屋上のライブ会場でも味わえない感覚で……。「ＶＲってこういうことができるんだ」と、新鮮で衝撃的でした。

また、その頃ちょうど『Pokémon GO』のアプリがリリースされたんです。ＶＲとＡＲを通して「自分たちのビジネスにこれらの技術が活かせるのでは？」とワクワクしたのを覚えていますね。

渡邊　それは面白いですね。単なる商業施設という枠を超えて一つのカルチャーを築いていらっしゃるなと思うのですが、今後はバーチャル空間を活用してどんなことを発信していこうと考えているのですか？

林　そのシークレットライブの後にどうＡＲやＶＲを活用してお客さんに楽しんでもらうかを考えまして、３年後の２０１９年にグランドオープンした新生渋谷ＰＡＲＣＯには、館内の吹き抜け空間に３Ｄアートを展示して体験してもらうエリアをＳＴＹＬＹと作りました。それがＸＲへのチャレンジの始まりでした。

他にも、アートやファッション、ショッピングなど様々なジャンルで、少しずつ、バーチャルな仕掛けを取り入れています。

渡邊　スマートフォンのように、当たり前にＡＶＰのような次世代デバイスを持つ時代が来たら、生活やショッピングの体験はどのように変わると想像しますか？

林　色々な体験が圧倒的に変わりそうで、特にショッピング体験などはすごく変わると思っています。現代のネットショッピングのようなものではなく、どこにいても実際のショップを訪れたような体験ができそうですよね。

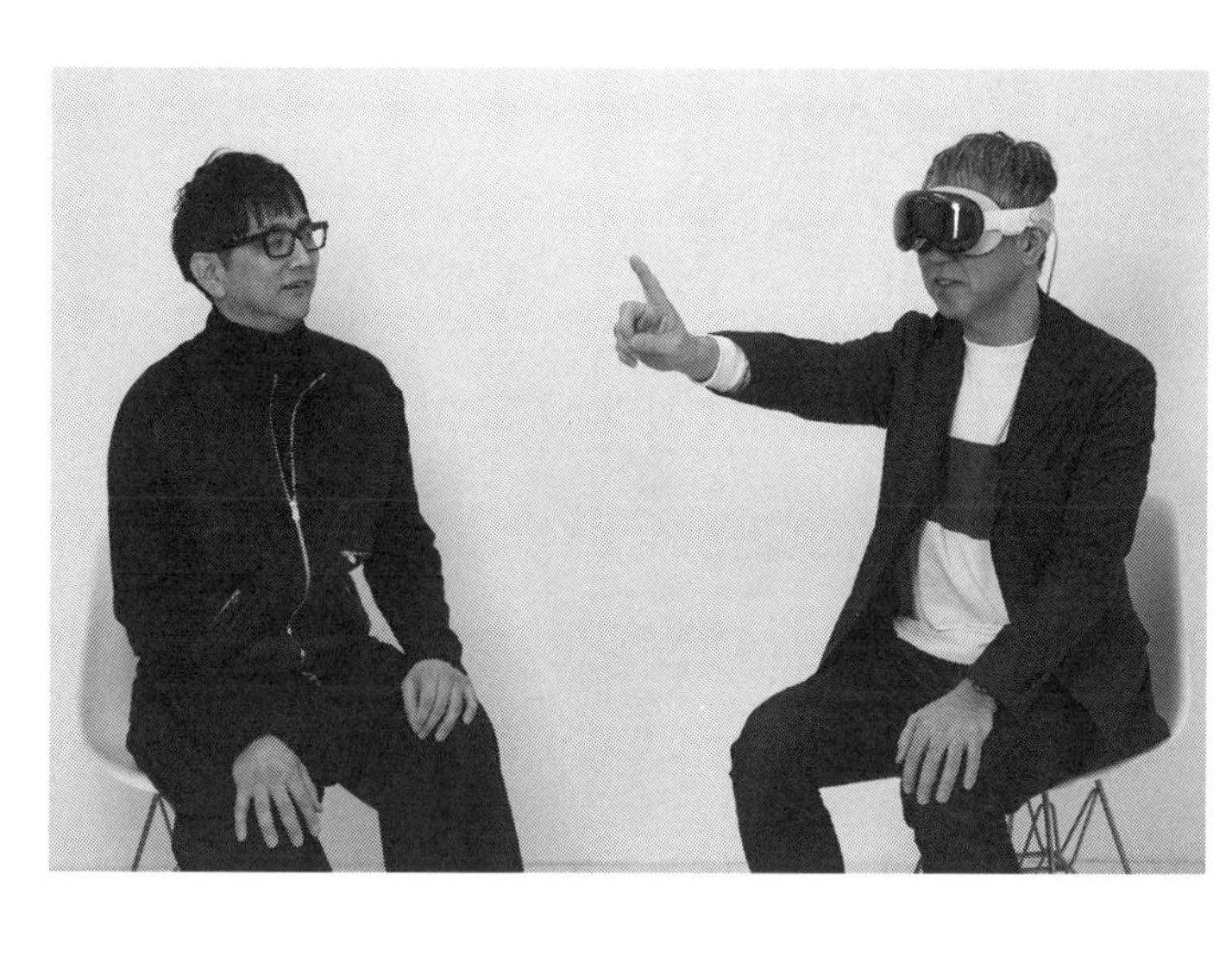

商業施設の価値をさらに高めるには？

渡邊　２０２４年2月に渋谷ＰＡＲＣＯ屋上で開催した「MIRAI HANABI」は、一緒にやらせていただいてとても楽しかったです！

屋上で、スマートフォン越しにＡＲの花火が映し出されるという無料のイベントでしたが、企画段階の際、林さんは「本物の花火に近づけたい！」と、精度にすごくこだわっていましたよね。

林　そうでしたね（笑）。渋谷の街に特大の花火を上げることは危険なのでできません。それに花火は夏の風物詩ですので、「冬に花火大会」「渋谷の街なかで花火大会」という、通常では体験できないものをお客さんに提供したかったんです。

みなさんが見たい花火って何だろう？　と考えた時、シンプルにリアルな花火なのではないかと思ったんです。ですので今回はリアルさにはこだわらせていただきました！

渡邊　私たちは「ファミコン風の花火はどうか？」など、デジタルにしかできない方向に振ろうとしてしまいがちなんですよね。「本物にはやはり勝てない」と、私は思っていましたから。でも、お客さんはデジタルフリークの方というより、花火が好きな方のほうが多い印象でした。

本物にも負けないリアルな迫力が出せる未来を見据えて、今回、林さんがとことんリアルにこだわったのは大成功だったと感じています。

林さんは、このイベントを通して、どんなことを感じていたんですか？

林　もう自信が確信に変わりました！　今回のイベントはスマートフォン越しに花火を見たんですが、これをＡＶＰ越しに見たらどんなにすごいんだろうなぁ！　と勝手に想像しながら私も体験していましたね（笑）。

同時に、商業施設の役割も大きく変わっていくんだろうという思いも抱きました。

ARと音と光がコラボレーションした「MIRAI HANABI in SHIBUYA PARCO」
Project partner:J.フロント リテイリング、XR Creator:Kaoru Naito、Music:松武秀樹、Illumination:ARCHITAINMENT

渡邊　具体的に、どのように変わっていくと感じましたか？

林　たとえば花火大会を例に出すと、今までは浴衣は商業施設で買って、それを着て週末あたりに河川敷などで開催している花火大会に行く、というのが一般的でした。でも商業施設の屋上で花火大会を体験できるのであれば、浴衣を買って、その場で着付けをしてもらって、屋上に上がれば花火大会を楽しむことができる。

これぞ価値の拡張ですし、可能性を感じますよね！

空間もファッションになる時代の到来

渡邊　今後、やってみたいと思っているアイデアはありますか?

林　今渋谷PARCOの6階フロアは、日本が誇るキャラクターが集うフロアなんですが、そこをまるごと現実×バーチャルの空間にしたら面白そうですよね。フロアに足を踏み入れた瞬間に、目の前にキャラクターがいたり、ゲームの世界そのものに自分が入り込めるような体験をしながら買い物ができたら面白いですよね。

渡邊　ゆくゆくはこの空間自体を、自分のファッションとして取り扱う時代がやってくると思うんです。空間に好きなものを浮かべたり、気分が高揚したらハートが飛んでいたりとか。考えられる限りなんでもできるし、色々なことが起きると思うんです。

PARCOの中のショップに入ると、ブランドそれぞれに表現されたものが空間として存在して、それが人それぞれ変えられたり、それ自体を販売できたりということが起きてくるような気がするんです。そしてまた、空間を彩るという新しい文化・カルチャーが生まれていくような気がします。

スマホがなくなる日、どんなことをしてみたい？

林　空間コンピューティングは、「タイムマシーン」になるなと思っています。というのも2019年、渋谷PARCOリニューアルオープン前の工事中、施設を覆う壁一面を大友克洋先生の漫画『AKIRA』の名シーンのアートボードにしたじゃないですか。そのアートボードを撤去する前に、STYLYさんが画像をキャプチャしてくれたものを、PARCOのオープン後にバーチャルに再現してくれて……。

「未来にも行けるし、過去にも戻れちゃうんだ！」って感じたんです。

当時を懐かしみながら、当時のスタイルの買い物ができるとかも夢ではないと思いました。ですから、**スマホがなくなる日、昔のPARCOで買い物を楽しんでみたいですね。**

渡邊　ぜひ、過去での買い物体験、洋服なんかも当時流行したものを取り揃えて、**タイムスリップショッピング**を実現させましょう！

特別対談④

土地の価値は地面だけじゃない!?
これからの不動産は、
土地+建物+空間を売る時代

東急不動産CX・イノベーション推進部 グループリーダー

佐藤文昭

1979年、東京都生まれ。マンションデベロッパー、不動産投資ファンド運営会社を経て、2008年東急不動産入社。2016年より米国現地法人へ出向し、ニューヨークに駐在。新設された駐在員事務所にて、ニューヨーク・マンハッタンでの大型複合ビルの開発や賃貸マンションの取得をメイン業務としつつ、アメリカの先端テクノロジーの調査も担当。2021年より現職。CVCによるスタートアップ企業への出資、社内外を巻き込んでのオープンイノベーションの推進、新規事業の立案等を行う。

空間コンピューティングに注目するのは、アートやエンタメ業界だけじゃない！　今不動産業界からも熱い視線が注がれ始めている。これからは空間の不動産⁉　土地の売買だけでなく、空間の売買までされるようになるというのだ。デベロッパーが見据える、空間コンピューティングの可能性とは？

勝ち筋は想像を超えたところにある

渡邊　佐藤さんには、不動産業界ではおそらく初めて、空間コンピューティングの可能性を感じてもらった記憶があります。具体的に、空間コンピューティングは不動産業界にどんな影響を与えられそうですか？

佐藤　不動産業界は、いわゆる物件開発、つまりは「ハコを作る」というビジネスをずっと続けてきました。どんな業界でも共通することかもしれませんが、世の中が変化するタイミングで、新しいことを始める必要があると私は常に考えています。そう考えているタイミングで知ったのがＸＲや空間コンピューティングという言葉でした。

この空間コンピューティングでは、気分や用途に合わせた自分好みの空間を作り出せる、まさに「空間を身にまとう」時代が来るという話を聞いた時に「あぁ、これって今までにない新しい価値を不動産につけられて、街の価値を高められる」と感じたのが最初の印象ですね。

渡邊　私たちもXR技術を拡大するために、色々な場所に話をしに行くのですが、佐藤さんはものすごく真剣に話を聞いてくれて、嬉しかったですよ。

佐藤　ありがとうございます（笑）。自分の脳で考える未来なんてたいしたことない、自分の想像を超えたところに、初めて勝ち筋があると常に思っています。自分が想像できちゃう未来ってことは、それは想像の範囲内ということ。自分の常識の範囲外にこそ道があると思っています。

普通に考えたらAVPのような、こんなごついものを身につけて歩く人なんていませんよね（笑）。

でも携帯からスマホに変わったように、世の中の当たり前は、想像の範疇を超えて常に変化しています。その時代の流れがどんどん速くなっている。想像できないようなことが、すぐ近くの未来まで来ているんじゃないかと思ったら、すごくワクワクしてきたんですよ。たとえばＶＲゴーグルも、最終的にはコンタクトレンズ型になる、みたいな話が本当にすぐ来るんじゃないかなと。そして私はそのお手伝いができたら嬉しいなと思ったんです。

渡邊　なるほど。想像を超えた未来って、想像できないことなんですよね。だから今理解できることで「それは起こり得るよね」って言わせたら多分負けなんですよね。

佐藤　出会った時から、言い表せない可能性みたいなのは感じていたんですが、実際にＡＶＰを体験して、よりワクワクしましたね。失礼なんですが、大したことなかったらどうしようと思ってたんですよ（笑）。

実は今までも、いろんなＶＲゴーグルやＨＭＤを複数体験してきたのですが、「迫力がないな、画像が鮮明じゃないな、ちょっと粗いな」と内心思っていたんですよ。

でもＡＶＰは解像度がとにかくすごく鮮明で。感覚としては、タブレットが目の前にある感じでした。空間がディスプレイになるということが理解できましたし、テレビみたいにみんなが使うものになるとも感じました。

空間コンピューティングで感じる都市開発の可能性

渡邊　AVPはパーソナルデバイスなので、基本、自分一人で楽しむもので、設定も一人一人に合わせないといけない。でも、100台、200台と複数繋いで、みなさんに同時に同じものを見ていただくこともできます。複合型施設などで、みんなで体験できたら面白いですよね。

佐藤さんは、どんなことができそうだなと感じていますか?

佐藤　そうですね。東急グループでは、渋谷駅を中心とした半径2・5キロ圏内を「広域渋谷圏」と定め100年に一度の大型再開発を進めています。都市開発と、魅力向上の取り組みの両面から渋谷のまちづくりを進め、もっともっと盛り上げていければと考えているんですが、それにはハードの開発に加えてエンタメなどソフトの要素も必要だと感じています。

モノを作るだけではなくて、ソフトも同時に作っていけば、体験の強度をさらに高めることができる。渋谷を訪れた人が、「想像より楽しかった、面白かった」と感じていただけることに重点を置いているんですよね。

渡邊 なるほど。「楽しかった、面白かった」ということこれまでにはできなかった体験を空間コンピューティングで何かできないか、ということですよね。

佐藤 その通りです。都市開発の中で、循環をしていくためには大事なポイントが3つあると思っていて、それが「創造・発信・集積」なんです。最初に、まだ誰も体験したことがないものを創造する。そしてそれをいい形で発信して、みなさんに知っていただく。それが話題性になって、口コミも多くなり、多くの人が集まり集積する。それがまた新たな創造に繋がっていく。

「この3つのポイントをぐるぐる回していこう！」ということを考えながら街づくりを推進しているので、「ハコ」を作る仕事ではなく、「人の集積に繋がるハコ」を作る仕事がしたいなと考えています。

渡邊　いいですね。不動産は、土地の価値を上げるビジネスじゃないですか。現時点で価値があるのは、あくまで地面という平面じゃないですか。
その価値を、空間にまで拡張できると私は思うんです。今までx軸とy軸のみだった基準に、z軸が追加されるイメージなんですが。

佐藤　できると思います！　早い段階でいえば、いわゆる外壁広告というか、屋外広告のさらに進化版ができそうですよね。

今の時点でも、その壁にどれだけ視線が集まっているかどうかで、壁の価値は上がります。見る人数が多い壁は、価値が高い。

それが空間コンピューティングが当たり前になる時代に突入したら、本来何も掲示できない場所にも広告を打つことが可能になると思うんです。

普通、窓があったらそこには何も貼れないじゃないですか。でも空間コンピューティングで窓に広告を貼れるようになったら、どんな壁や窓にも広告を出すことが可能になりますよね。

つまり「空間に広告を打つ」という選択肢が出てくると思うんです。しかもその広告はパーソナライズすることも可能なので、同じ壁でも、人によって見える広告を変えられる。それが実現したら、それはものすごい価値を生むようになると思います。

渡邊　今の時点では、空間自体って登記できないし、空間を売買することはできないし、貸したりもできない。他人の土地の上の空間を勝手には使えませんが、空間コンピューティングによって、空間の価値を数値化することができませんかね？

佐藤　十分でき得ると思います。「そこの土地は俺のものだ！」ではなく、「そこの空間は俺のものだ！」みたいな会話も起こりそうですよね（笑）。

極論を言うと、今まで価値を見出せなかった不動産に価値が与えられることになると思うんです。これは決して大袈裟（おおげさ）ではありません。可能性を感じますね。

スマホがなくなる日、どんなことをしてみたい？

佐藤　スマホがなくなる日、人類の空を取り戻したいですね。

渡邊　なんか、かっこいい！（笑）　とはいえ、どういう意味ですか？

佐藤　今世の中のみなさん、下を向きすぎだと感じることがあります。それは、気持ちもそうですし、体の姿勢も。体が下を向いていると、気持ちまで下向きになりがちです。スマホを見ている姿勢って下向きですから、人間本来の姿勢ではないと思うんですよね。

ＡＶＰのいいところって、自分が見たいものをバーチャルで目の前に表示できると同時に、現実世界も見られるので、視線が自然と上がることだと思うんですよ。

今ある、リアルの世界も見られるっていうのがやっぱり大事だと思うんです。外に出て、散歩して、景色を見たりして感じることって、人間やっぱりあるじゃないですか。

渡邊　なるほど。ついついスマホの画面ばっかり見ちゃいますよね。

佐藤　だから空間コンピューティングの登場によって、みんな上を向いて生活できたら、もっと豊かになれる。個人でも組織でも、あるいは国単位でも、もっと明るい生活ができる。そういう風に考えたので、ちょっとこんな偉そうなことを語ってしまいました（笑）。

渡邊　下ばかり見ないで、空ばかり見る日、来そうですね。

佐藤　そのうち駅の看板などに「歩きスマホ禁止」ではなく「空を見上げるの禁止」なんて看板が出てきたりして（笑）。そういう世界が実現すれば、不動産業界も大きく変化するのではと期待しています。

あとがき

本書の執筆に際して、ここ20年くらいの自分の人生を振り返りながら書かせていただきました。本当にこれしかやってこなかった、と言いますか、これしか興味が持てませんでした。私にとって、空間コンピューティングはそのくらい魅力的で可能性を感じる世界だったのです。

ですが振り返ると、私の今を作っているテクノロジーに対する壮大な妄想と構想は、大学生の頃、30年前くらいから変わっていないように思います。

私が大学生の時、肩掛けの携帯電話（平野ノラさんがコントで「しもしも～」と言っていたあの電話です）が発売され、月額の基本料金が確か7万円くらいでしたので、学生の身分ではとても買うことはできませんでした。

でもどうしても欲しかったので、むちゃくちゃ考えて思いついたのが、アマチュア無線の魔改造でした。家の電話にアマチュア無線の発信装置を接続し、クルマにつけたカー無線に転送、クルマから家の電話に接続して送受信するというものです。

「これはかっこいい！　デートの時自慢できる！」と、手前味噌ですが、すごいアイデアだと高揚しました。

しかし私は理系ですが機械いじりやプログラミングは全くできませんでした。ただ、発想することは大好きでしたので「技術はできる人にやってもらえばいい」と思い、外注して作ってもらいました。かっこよく言えばファブレスですね。「想像できるものは誰かが作れる！」。これが昔からの私の口癖でした。よく考えるとひどいですね（苦笑）。ですが、本書に書かせていただいた空間コンピュータに繋がるストーリーの第一歩は、電話の魔改造（他人任せ）の成功だったように思います。

私は幼少の頃からずっと新しいものに憧れ、いつも妄想していた気がします。小学生の頃、私はテレビに興味津々でした。それまではラジオなどの音声中心のメディアでしたので、歌唱力のある演歌歌手などが主流だったように思いますが、テレビが家庭に普及してきた後の時代、ビジュアルを武器としたアイドルというジャンルが登場してきます。

あまり人に話したことはないのですが、私は昔、本気でアイドル歌手になりたくて、ピンク・レディーの曲は全て踊ることができました（笑）。

小学3年生の時。学芸会でピンク・レディーの「サウスポー」という曲を女の子とペアで踊ったら大受け！　その歓声が表舞台への憧れに繋がったのですが、父から呼び出しがあり、叱られることに……。

父からは、「ピンク・レディーじゃなく野口五郎にしろ！」と、訳のわからない説教（？）をされた覚えがあります。仕方なくクラシックギターが家にあったので、ギターで演歌をコピーすることから始めました。高学年になるとGibsonのエレキギターが欲しかったのですが、そんな高価な楽器を買ってもらえる時代でもないので、お年玉の他に、どうやって追加でお小遣いをもらえるか考えていました。お正月に集まった酔っ払いの親戚のおっちゃんたちに、ウケのよい石原裕次郎の「ブランデーグラス」をギター片手に歌ってお小遣いをもらっていましたね。ですが、ギターの金額に当然達しなくて（そりゃ一晩で高級ギター分稼がせてはくれません）。ところが、酔っ払った親戚のお兄さんがGibsonの高価なギターを貸してくれるといいだしたのです。いやぁ、驚きました（返したのはつい最近です。笑）。

その経験から、「夜布団に入り、妄想を膨らませてから寝る」ことが習慣になり、あれやこれやと妄想を続ければいつか現実になるし、実現してくれる人にも出会える、と考えるようになりました。「妄想による引き寄せの法則」といったところでしょうか。

この妄想で引き寄せる力は、メンタルにおいてもとても重要だと考えています。自分がずっと沈んだ気持ちでいると、その波動が相手にも伝わり、マイナスなことが続く気がしています。ですから私は、マイナスな思考を持つことだけはやめようと決めていて、一晩寝れば嫌なことはサッパリ忘れることができるのです。長年の習慣にしていたので、自信を持って、私の特技として自慢できます。先日、ＦＸでかなり大きなロスカットをしてしまった時にも、寝たら忘れてました（忘れさせました）。

ですから、自分の発するオーラが、常にポジティヴであり、希望に満ちたものであれば、未来もきっと希望に満ちたものになる。本書では科学技術の話をたくさんさせていただきましたが、「人間の持つ発想力、創造力、未来をよくしたい！」という強い願いが何よりも大切だと私は思っています。

人間の五感では感じられない、見えない力。直感ですとか、超能力ですとか、いわゆる第六感と呼ばれる力には、ものすごい可能性があると思っていて、それを科学技術の力で解明していけたら面白いなぁ、と考えています。というのも、「見えないものを見る」という第六感の力は、本書で紹介したバーチャルリアリティの世界に近しく、繋がっていると感じるからです。

そもそも人間の見ている世界、感じている世界は人間の感知できる信号を脳が理解しているものにすぎません。なので実体がどんなものなのか、そもそも存在するのかさえ怪しいと思ってしまうことがあります。

イーロン・マスク氏が、「この世の中は仮想空間ではない可能性は数十億分の一である」

と発言して一躍有名になったのですが、「この世界は、仮想空間である」という説は昔から存在しています。映画『マトリックス』の中では、「現実は人間の頭の中にのみ存在する」といっていましたが、これは『般若心経』の一節「色即是空(しきそくぜくう)、空即是色(くうそくぜしき)」の教えに通じているなと私は感じています。

最近では量子力学論でも話題ですが、学者の共通認識として、「観測結果のみが実在であり、その背後に実在など存在しない」というのが定説となっていて、これは、物体や物質は人間が観測し認識して初めて存在するという理論なのです。このあたりはほんとに面白いので、ご興味のある方は猛者たちがYouTube等で詳しく説明してくれているのでぜひ調べてみてください。

先ほど国立競技場で開催されたAdoさんのライブから帰ってきてこの文章を書いています。Adoさんはシルエットしか見せませんので、空間を使った表現が多く素晴らしいですし、ドローンや花火の演出も迫力がありました。

ですがここに、次世代デバイスが一般的に普及すれば、もっとすごい演出ができる、それこそ五感を騙してくれるようなライブパフォーマンスが可能になるなと、未来に期待しかありませんでした。

昔は作詞、作曲、演奏、歌という構成だったものが、音楽自体を多くの人で作るコライテイングにはじまり、「歌ってみた」「踊ってみた」など、作品を盛り上げるために多くの才能がマッシュアップして新しい文化を作り上げていっています。

今後は空間コンピューティングによって演出も多くの人が発信するようにバージョンアップされるかもしれません。こんな新しい創作の仕方を、本書を読んでくださったみなさんで創っていって欲しいと願っています。もうおっちゃんの私の妄想力では太刀打ちできない気がするので、若い感性を持つみなさんに早く参入してきて欲しいのです。これまで蓄積したノウハウで下支えをできたらと思っています。

長くなりましたが、最後までお読みいただきありがとうございます。この機会をつくってくれた皆様、貴重な機会をいただけたことを、心より感謝申し上げます。

私の、身にまとう空間を創る旅は始まったばかりです。まだまだ入口ですが、扉が開いたことは確かです。またどこかで、この続きのお話ができるように未来を創っていくことをお約束して一旦筆をおきます。

続きはいつかまた……空間コンピュータの中で！

2024年6月　渡邊信彦

著者紹介

渡邊信彦

Nobuhiko Watanabe
株式会社STYLY 取締役COO

1968年、千葉県生まれ。群馬大学工学部卒業後、電通国際情報サービス（現・電通総研）に入社し、ネットバンキングやオンライントレーディングシステムの構築などに多数携わる。2006年、同社執行役員に、2011年、社内事業の「オープンイノベーション研究所」所長に就任。「セカンドライフ」ブームの火付け役としてXRを活用したビジネスに関わる。2015年より内閣府が管轄する日本人材機構のスタートアップメンバーとして地方企業の人材育成やコンサルティングを多数推進する。

2016年、開発者の山口征浩と出会い、Psychic VR Lab（現・STYLY）の設立に参画し、取締役COOに就任。2018年、ファッションブランド「ヨウジヤマモト」とタッグを組み、XRプラットフォーム「STYLY」を用いて、国内の店舗に居ながらVRでパリコレのランウェイを体感できるイベントを開催する。同年、渋谷PARCOでXRアート展覧会を開催し2万5千人を動員。KDDI、J.フロント リテイリング、テレビ朝日ホールディングス、東急不動産ホールディングス、日鉄興和不動産、JR西日本イノベーションズ、日本エスコン、三菱商事など数多くの企業から出資を受け、空間コンピューティング事業を全国各地で進める。

また、パートナー企業とともに、XRクリエイターの発掘や育成を目的としたプロジェクト「NEWVIEW（ニュービュー）」を立ち上げたほか、事業構想大学院大学の教授としてXRを用いた新規事業開発の指導を行うなど、グローバルに活躍できる人材を輩出するために尽力している。

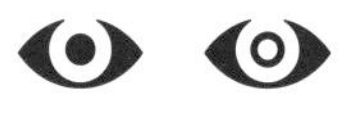

Apple Vision Proが拓くミライの視界
スマホがなくなる日

2024年6月25日　第1刷発行

著者　渡邊信彦
発行人　見城　徹
編集人　舘野晴彦
編集者　田中美紗貴
発行所　株式会社　幻冬舎
〒151-0051　東京都渋谷区千駄ヶ谷4-9-7
電話　03（5411）6269［編集］
　　　03（5411）6222［営業］
公式HP　https://www.gentosha.co.jp/
印刷・製本所　中央精版印刷株式会社

検印廃止

Printed in Japan　ISBN978-4-344-04268-1　C0034

この本に関するご意見・ご感想は、下記アンケートフォームからお寄せください。
https://www.gentosha.co.jp/e/